Leonard Cohen
Seul l'amour

essai

Catalogage avant publication de BAnQ et de BAC

> Julien, Jacques
> Leonard Cohen : seul l'amour
> Essai. Comprend des références bibliographiques.
> ISBN 978-2-89031-967-7   ISBN ePub 978-2-89031-969-1
> 1. Cohen, Leonard, 1934- Critique et interprétation. I. Titre.
>
> ML410.C69J84 2014   782.42164092   C2014-941143-X

Nous remercions le Conseil des arts du Canada ainsi que la Société de développement des entreprises culturelles du Québec de l'aide apportée à notre programme de publication. Nous reconnaissons également l'aide financière du gouvernement du Canada, par l'entremise du Fonds du livre du Canada, pour nos activités d'édition.
Gouvernement du Québec – Programme de crédit d'impôt pour l'édition de livres – Gestion SODEC.

Mise en pages : Julia Marinescu
Illustration de la couverture : *Leonard Cohen pendant sa tournée à Genève en 2008*, Rama, CeCILL.
Maquette de la couverture : Raymond Martin

Distribution :

Canada	Europe francophone
Dimedia	D.N.M. (Distribution du Nouveau Monde)
539, boul. Lebeau	30, rue Gay Lussac
Montréal (QC)	F-75005 Paris
H4N 1S2	France
Tél. : 514 336-3941	Tél. : 01 43 54 50 24
Téléc. : 514 331-3916	Téléc. : 01 43 54 39 15
general@dimedia.qc.ca	www.librairieduquebec.fr

Dépôt légal : BAnQ et BAC, 3ᵉ trimestre 2014
Imprimé au Canada

Jacques Julien

Leonard Cohen
Seul l'amour

essai

Préface de Chantal Ringuet

Triptyque

Du même auteur chez Triptyque :

Archiver l'anarchie. Le capital de 1969, 2010
Richard Desjardins, l'activiste enchanteur, 2007
Parodie-chanson. L'air du singe, 1995
La turlute amoureuse. Érotisme et chanson traditionnelle, 1990
Robert Charlebois. L'enjeu d'« Ordinaire », 1987

et collaborateur précieux à plusieurs ouvrages collectifs sur la chanson

Pour France, qui aime tellement Leonard Cohen et qui a commandé l'écriture de cet ouvrage : « Sans amour, la vie a très peu de sens. » (Leonard Cohen)

Préface

Un beau ténébreux chez les nevi'im[1]

«Un beau ténébreux»: cette expression tirée d'un roman de Julien Gracq est particulièrement appropriée, il me semble, pour qualifier Leonard Cohen, ce dandy élégant, désabusé et romantique, dont la silhouette coiffée d'un fedora déambule dans l'imaginaire contemporain depuis plusieurs décennies, traversant les continents, les cultures et les générations. Tantôt marchand de rêves à la voix *smoothy*, tantôt ascète en quête d'élévation spirituelle, Cohen est l'auteur d'un répertoire musical et poétique à nul autre pareil, qui valorise la polyphonie des voix tout autant que l'intertextualité et la réécriture. Ponctuées de références au judaïsme, faisant écho aux tourments de l'homme moderne en proie à l'abandon et à la solitude, les chansons de Cohen s'apparentent à un véritable palimpseste derrière lequel s'entrecroisent plusieurs influences et se tissent diverses mémoires. En cela, elles sont essentiellement fécondes; aussi se prêtent-elles à de nombreuses interprétations. Dans une interview accordée à Michael Harris et publiée dans la revue montréalaise *Duel* en 1969, Cohen, alors jeune trentenaire, affirmait justement: «La vaste majorité de mes chansons peuvent être qualifiées de chansons dures, de chansons douces ou de chansons contemplatives, voire de chansons pour faire la cour[2].» Ainsi, elles constituent dès le départ un matériau que nous pouvons transformer à notre guise en lui conférant une atmosphère chaque fois différente et renouvelée[3]. Ce pouvoir d'adaptation qui relève de leur étonnante singularité allait assurer à ses chansons un brillant futur, comme nous le savons aujourd'hui.

Du Montréal juif à l'univers des nevi'im

Issu d'une famille juive anglophone nantie de Montréal, Cohen a reçu une éducation élitiste. Lyon Cohen, son grand-père paternel, propriétaire d'une usine de vêtements, s'était installé à Westmount. Homme d'affaires et philanthrope, il appartenait à l'élite juive anglophone de la métropole, que l'on surnommait couramment les *Uptowners*. Il joua un rôle important dans la communauté juive dès la fondation, en 1897, du journal anglophone *The Jewish Times* avec l'avocat Samuel William Jacobs. Par la suite, il fut élu en 1919 le premier président du Congrès juif canadien, et contribua à la mise sur pied du Jewish Immigrant Aid Services of Canada (JIAS). Contrairement à la majorité des Juifs de Montréal qui étaient issus de l'Europe de l'Est, il n'appartenait pas à la classe des *Downtowners,* ces immigrants de langue yiddish qui habitaient les quartiers du port et de la basse ville et qui travaillaient durement dans les usines de confection.

Fils et petit-fils d'un important employeur dans le monde de la *shmata,* un grand secteur économique à Montréal durant la première moitié du XXe siècle, Leonard Cohen baigna dans cet univers dont il connut les privilèges. Au cours de sa jeunesse, il y travailla pendant quelque temps, puis il quitta définitivement son milieu d'origine pour habiter rue Stanley, au centre-ville. Là, il fréquenta les habitants du quartier, ces paumés et ces démunis qui erraient rue Sainte-Catherine, aux alentours du square Phillips. Chez Ben's, *delicatessen* de renom, il rencontra son futur ami, le poète Irving Layton ; sous sa recommandation, il entreprit des études à l'Université McGill, où il devint l'élève de Frank Scott et de Louis Dudek. De son propre aveu, Cohen se considérait comme un *drop out* raté ; c'est cependant à cette période qu'il joignit le groupe des McGill poets et commença à publier des poèmes dans la revue littéraire étudiante *CIV/n,* dont le nom, un acronyme inspiré d'Ezra Pound, signifie « civilisation ». En 1956, il publie un premier recueil, *Let Us Compare Mythologies* : il s'agit du premier titre de la McGill Poetry Series, une série de livres de colportage publiés par Contact Press. En parallèle, il joue de la guitare sous l'influence de Pete Seeger, Josh White, des chanteurs du groupe Wheeling et de West Virginia (une station radio de musique country), puis de Joan Baez et Bob Dylan. Il commence à écrire de la musique – surtout de la folk, de la musique espagnole et du flamenco –, puis il remporte un véritable succès en 1966 avec sa chanson *Suzanne*. C'est alors le début d'une carrière exceptionnelle qui s'étendra sur un demi-siècle.

Dans le présent ouvrage, Jacques Julien a bien raison de souligner que les chansons de Cohen présentent un intérêt particulier si on les examine du point de vue de la culture juive : le judaïsme affleure en effet dans son œuvre entière. À de nombreuses références tirées de la Bible et à des vers qui font écho à la poésie hébraïque religieuse, s'ajoutent des allusions à la mystique juive et, parfois, un arrière-fond messianique. Ainsi, ses chansons sont marquées par le scintillement d'une vision qui fait écho à la parole des *nevi'im*, ces prophètes du monde hébraïque ancien qui annonçaient la rédemption, tout en se révélant parfois – eux aussi – d'illustres poètes.

Mais il y a plus. Depuis le début de son parcours, Cohen apparaît tel un homme poursuivant une quête inlassable, celle d'un objet qui se dérobe sans cesse : l'amour. Ainsi, ses chansons peuvent être perçues comme une vaste tentative de poétiser le désir amoureux, de métaphoriser le vide, c'est-à-dire l'absence de l'autre, *la* femme, celle dont Jacques Lacan avait raison d'affirmer qu'elle n'existait pas[4]. À cette première absence s'en ajoute une deuxième, travestie sous les traits de la première : celle du Nom. Ce Nom qu'il est convenu de taire, selon le judaïsme : celui de Ha'Chem, celui de Dieu. Comme l'exprime son poème « I Should Not Say You ».

Without the Name the wind is babble, the flowers are a jargon of longing. Without the Name I am a funeral in the garden. Waiting for the next girl. Waiting for the next prize. Without the Name sealed in my heart I am ashamed. It is not sealed. I am ashamed. Without the Name I bear false witness to the glory. Then I am this false witness. Then let me continue[5].

Si la trajectoire qu'a poursuivie Cohen depuis les années 1960 peut être perçue comme une quête de l'altérité, ou plutôt *des altérités*, c'est peut-être faute de ne pouvoir atteindre cet Autre suprême ; ce Dieu dont il est, en tant que descendant des *kohanim*[6], l'un des princes héritiers.

De ce point de vue, l'œuvre de Cohen est porteuse d'un sentiment de mélancolie d'où s'érige un Je plongé dans une intense communication avec Ha'Chem. Or ce sentiment se situe à l'origine d'une parole dont l'universalité relève surtout de son acuité à accueillir la «condition exilique[7]» de son auteur, pour reprendre l'expression de George Steiner. C'est ainsi que le «beau ténébreux» a poétisé les affres de la condition humaine et le destin vertigineux de l'homme contemporain – cet individu acculé de toutes parts à la désillusion, à la déception et au désespoir. Son défi majeur consiste, peut-être, à ne pas avoir sombré dans le registre des désenchantés.

De Leonard Cohen, une image nous frappe : celle du *Famous Blue Raincoat* déambulant dans les rues de New York à quatre heures du matin en décembre ; celle d'un imper bleu à l'aspect glamour, dont le tissu légèrement élimé rend compte du vécu, de la maturité, voire d'un certain esseulement amoureux chez celui qui le porte. D'une trajectoire multiple, marquée de voyages, d'itinéraires et de détours, depuis Montréal, sa ville natale, jusqu'à Londres, l'île de Hydra en Grèce, New York, Berlin, Los Angeles et... Montréal à nouveau. « Je suis un poète, un vagabond, un juif[8] », écrivait le poète yiddish Melech Ravitch (1893-1976) dans un éloge à la liberté faisant suite à sa découverte de l'Amérique du Nord. Ces paroles, Cohen lui-même aurait pu les écrire. En réalité, il n'est pas anodin de souligner que le parcours du chanteur présente certaines similitudes avec celui de Ravitch, ancien membre du groupe *Di Khaliastre* [La bande], qui prônait l'avant-garde et le modernisme poétique dans la Varsovie des années 1920.

Bien que tous deux aient vécu à Montréal pendant de nombreuses années, l'un avant et l'autre après avoir exploré le monde entier, les deux hommes ne se sont jamais rencontrés. Pourtant, ils avaient beaucoup en commun : à leurs origines juives est-européennes d'ascendance polonaise s'ajoutent une écriture abondante, ainsi que le goût des femmes et du voyage. À l'instar de Ravitch, Cohen est animé d'une passion ardente ; comme lui, il a voulu épouser le monde dans toutes ses dimensions, tant il était insatiable de découvertes, d'expériences, de rencontres, d'aventures. Comme Ravitch, aussi, Cohen a vécu de sensualité et d'amour; il était épris des femmes, et de *la* femme à travers toutes celles qu'il a connues. À la lecture des poèmes de Ravitch, tout comme à l'écoute des chansons de Cohen, on suit le trajet d'un Éros[9] trébuchant qui se relève chaque fois, à demi errant, pour aller rejoindre Thanatos[10], auquel il s'agrippe momentanément, pour enfin en déjouer la course. Mais pour combien de temps?

Questions de style

Face à l'impasse de sa propre « condition exilique », Leonard Cohen répond par un style. En puisant au cœur de ses origines, c'est-à-dire en s'inspirant, d'une part, d'une tradition culturelle millénaire dont il est le fier héritier et, d'autre part, d'une tradition familiale avec laquelle il était en porte-à-faux, Leonard Cohen a inventé une véritable signature. Ce style et cette signature qui défient les modes[11] se reflètent certes dans son habillement, dans sa manière élégante de porter complet et fedora, comme plusieurs l'ont souligné. Au premier chef, toutefois, ils trouvent consistance dans la voix qui les incarne. Voix dont le grain nous interpelle, en levant le voile sur un moment d'aube que l'on voudrait éternel, tant il s'arrime à un horizon de beauté qui sied au prolongement du regard. « *There is a crack in everything / That's how the light gets in*[12] », écrivait avec justesse le chanteur dans ses *Selected Poems*.

15

Avec Cohen, le temps devient suspendu, mais pourtant rythmé. L'espace s'enrichit de nouvelles perspectives, offrant des (pré)figurations finement ciselées du réel. Ainsi, le chant qui les porte grave quelques stries sur la surface lisse de notre quotidien. D'une chanson à l'autre, les modulations de sa voix dessinent des motifs incurvés dans notre chemin rectiligne, qu'il désencombre des habitudes, du confort et des illusions de permanence dont nous nous entourons au profit de quelques bris. Avec Cohen, nous sommes propulsés dans des états amoureux. Nous éprouvons une douce ivresse, nous accédons à la mélancolie. Nous sommes invités à faire alliance avec Éros. À suivre cet élan qui nous fait vaciller, trembler, chavirer, et nous entraîne dans une prodigieuse célébration des sens et de l'affect.

En ce sens, l'ouvrage de Jacques Julien fait ressortir avec justesse l'art d'aimer qui caractérise Cohen tout autant que ses poèmes et chansons. Abordant le caractère «moraliste» du chanteur et la manière dont il a représenté diverses valeurs au cours de sa carrière, Jacques Julien examine ici la diversité des styles et des influences qui l'ont façonné. Cet ouvrage à la fois accessible et important met en lumière une dimension peu abordée des textes de Leonard Cohen, légende incontournable de la chanson internationale. Pour cette raison, il plaira tant à ses amateurs de longue date qu'à ceux qui sont intéressés à le découvrir.

Chantal Ringuet
Montréal, 14 juin 2014

Notes

1. L'expression «un beau ténébreux» s'inspire du célèbre roman de Julien Gracq. Voir *Un beau ténébreux*, Paris, José Corti, 1945. Quant au terme hébraïque *nevi'im*, il signifie en français les «prophètes».

2. Michael Harris, «An Interview with Leonard Cohen», *Duel*, Montréal, hiver 1969, p. 92. [notre traduction]. «Almost all my songs can be sung as tough songs or as gentle songs or as contemplative songs or as courting songs.»

3. À ce sujet, nous référons le lecteur au documentaire *Leonard Cohen: I'm Your Man* (2006), réalisé par Lian Lunson.

4. Jacques Lacan, *Le Séminaire. Livre XVIII. D'un discours qui ne serait pas du semblant (1970-1971)*, Paris, Éditions du Seuil, 2007.

5. Leonard Cohen, «I Should Not Say You», *Death of a Lady's Man*, New York, Penguin Books, 1978, p. 63.

6. À l'époque de l'Israël antique (v. 1 000 jusqu'à 586 av. J.-C.), les *kohanim* étaient les prêtres qui réalisaient les sacrifices dans le Temple de Jérusalem. Tous les juifs qui portent le nom de Cohen sont leurs descendants et appartiennent à la classe des prêtres.

7. [notre traduction]. Steiner formule ainsi: «the condition of exile». Voir George Steiner, *No Passion Spent*, Londres, Faber and Faber, 1996, p. 305. À noter que ce passage n'est pas repris dans la traduction française de l'ouvrage, *Passions impunies*, Paris, Gallimard, 1997.

8. Melech Ravitch, «Dans la statue de la liberté à New York», traduit du yiddish vers le français par C. Ringuet et P. Anctil, *Mœbius*, nº 139 «Voix yiddish de Montréal», Montréal, novembre 2013, p. 25. Extrait de Melech Ravitch, «Kontinentn un okeanen», *Literarishe Bleter*, Varsovie, 1937, p. 72-74.

9. Dans la tradition juive, l'opposition entre les deux figures de l'amour, Éros et Philia, est illustrée clairement dans un enseignement de la Michna, la partie la plus ancienne du Talmud: «Tout amour qui est lié à un contenu précis est éphémère; tout amour qui n'a pas de contenu précis ne connaît pas de fin. Un exemple du premier type est fourni par Amnon et Tamar; du second type par David et Jonathan.» (Pirké Avoth V. 19)

10. Je m'inspire librement ici d'une formulation employée par le philosophe Gérard Rabinovitch dans son ouvrage *Terrorisme/Résistance. D'une confusion lexicale à l'époque des sociétés de masse*, Paris, Le Bord de l'eau, 2014, p. 68: «Au virage actuel sur le stade terrestre de la course de fond de l'homme vers sa possible humanité, c'est Thanatos qui court devant, retenu aux basques par un Éros trébuchant.»

11. Excellent exemple de cette situation, les chansons qui composent son dernier album, *Old Ideas* (2012), sont loin d'être vétustes ou dépassées: en ce sens, le style de Cohen demeure *fashionable*.

12. Leonard Cohen, *Selected Poems, 1956-1968*, New York, Viking Compass, 1968. Voir aussi «Anthem», *Stranger Music, Selected Poems and Songs*, London, Jonathan Cape, 1993, p. 373.

Introduction

C'est ma compagne qui m'a suggéré l'idée de ce livre sur Leonard Cohen. D'une part parce qu'elle reconnaît tous les charmes qu'on accorde à la personnalité de «monsieur Cohen». Elle est sensible à sa voix, au rythme et à la variété des thèmes qui se maintiennent dans sa production. D'autre part, elle lui accorde également une sorte de fonction sociale assez inattendue. «Il chante de grandes valeurs, des valeurs dont le monde contemporain a besoin. D'ailleurs, Cohen est aussi populaire auprès des jeunes que des vieux. C'est donc que son message est pertinent pour tous les âges», concluait-elle sans appel.

J'aimais, comme elle, Leonard Cohen et ses chansons, mais je renâclais devant le mot «valeurs» et tous ses avatars. Bien qu'il soit si répandu, je le trouve à la fois grandiloquent et fade, insipide même à force d'avoir été accommodé à trop de sauces. Sincèrement, je n'arrivais pas à voir dans l'auteur de «Bird on the Wire» un autre de ces baby-boomers infatués d'eux-mêmes, ces donneurs de leçons qui ont pris sans vergogne la place des clercs qu'ils avaient déboulonnés autrefois. Et puis, quand il est question de valeurs, s'agit-il de former de bons citoyens, des citoyens certifiés conformes, de rassurer les inquiets, de donner du sens à ce qui n'en a pas, d'apaiser les neurasthéniques? Ne serait-ce pas livrer une bataille déjà perdue d'avance puisque la réalité d'aujourd'hui, les conditions de la vie réelle, semblent donner de plus en plus raison au sombre pessimisme de Cohen lui-même? D'autres voix viennent d'ailleurs appuyer la sienne et concordent avec lui quant au diagnostic qu'il pose. Sans parler du découragement qu'apportent chaque jour les informations en diffusion continue.

J'écoute donc Cohen avec bonheur, certes, mais je suis également un lecteur patient de Nietzsche. Et comme lui, j'aspire, en dépit de toutes les déceptions, à une «transvaluation de toutes les valeurs». Cette expression un peu radicale évoque et appelle une sorte de mutation grandiose, subite, si possible, et définitive des valeurs courantes. Or, il est clair que ça ne va pas se produire. Et par un curieux détour, il se trouve que Cohen semble bien prêt de penser la même chose que Friedrich et moi. Il le dit parfois de façon très nette, dans une langue violente et crue:

> *Ne le laissez plus jamais chanter. Et qu'il s'assoie dehors avec son puant cadavre éducatif pendant que l'effeuilleuse sur la petite scène dorée fait bander chacun de nous.*
>
> («Commentaire: Comment parler la poésie», *étrange musique étrangère*, p. 234. Tous les poèmes sont tirés de cette traduction de Michel Garneau.)

Il faudrait lire tout ce texte, qui est une sorte de manifeste pour une éthique de la poésie ou de toute forme d'intervention artistique. Le poème original était déjà très sévère. Le commentaire qui y est rattaché est encore plus caustique. Cohen y prône la retenue, l'ascèse, la pudeur, l'économie des mots, la fuite de la rhétorique et le respect des situations difficiles vécues par les humains que l'artiste veut transposer dans son art. On peut retrouver le même état d'esprit dans la forme très condensée de ces quelques vers :

Ils sont retournés dans le monde
pour être avec ceux
qui travaillent avec leurs corps tout entiers
qui n'ont pas de projets pour le monde
        (« Les poèmes ne nous aiment plus », p. 147)

Quant au chanteur, sa grande popularité intergénérationnelle, qui servait d'argument positif à ma compagne, n'était-elle pas plutôt – et bien au contraire – une raison de ne pas l'aimer? S'il est tellement populaire, pensais-je avec une certaine mauvaise foi, ce serait somme toute parce qu'il est devenu divertissant (*entertaining*) et qu'il donne au public ce que le public veut bien entendre. Le présumé grand homme serait donc aussi vain et vide que tant d'amuseurs publics qui encombrent les ondes et les écrans. Bien plus, les prétendues valeurs chantées par Cohen seraient celles de la petite-bourgeoisie blanche dominante, consommatrice, bien-pensante et assez satisfaite d'elle-même. Et encore, faisais-je remarquer à ma compagne – un peu décontenancée par mes réticences –, plus récemment, ses tournées internationales, ses derniers spectacles, son dernier disque ne sont-ils pas le témoignage d'une évolution vers plus de mièvrerie? L'essayiste indien Pico Iyer écrit que «les moines zen de Kyoto dévorent ses ouvrages, tard dans la nuit, pendant que les femmes en Islande rêvent de cet insaisissable bohémien» (notes de *The Essential Leonard Cohen*, 2002). Au moment où paraissait cette note, cette popularité tous azimuts n'était-elle pas le signe certain d'un nivellement par le bas, de l'atteinte d'une sorte de plus petit dénominateur commun qui pouvait s'intégrer à tous les calculs?

Pour tirer l'affaire au clair, il fallait que j'entende ce que Leonard Cohen lui-même pensait de toute cette question des valeurs. Dans une entrevue de juin 1994, accordée à Catherine Ceylac, en France, il disait que s'il n'était pas devenu chanteur, il aurait aimé être général! Déclaration étonnante, dans laquelle il faut faire la part de l'humour et de l'autodérision que Cohen maîtrise en virtuose. Tout de même! Et s'il avait été général, disait-il, il aurait été en mesure de défendre les valeurs. Cet objectif et son expression quasi militaire peuvent sembler étranges, même en supposant que, à l'image de son père, Nathan, qui avait pris part à la Première Guerre mondiale, le jeune Leonard aurait voulu livrer bataille et remporter des médailles. Mais il y a effectivement chez Cohen, depuis son installation à Los Angeles, qu'il

considère comme un État dans les États-Unis, lieu
de la catastrophe, mais lieu dans lequel il se plaît,
la conviction d'un déclin de l'Occident et l'anticipation d'une catastrophe ultime. Entre-temps, il faut
défendre les valeurs. Et faute d'avoir été général,
disait-il, il entreprenait cette défense et cette promotion des valeurs par ses chansons. Il s'en est expliqué
de façon plus claire et plus déterminée en parlant de
« Everybody Knows » :

> Je pense qu'une bonne chanson existe à la fois
> selon des proportions très modestes et selon des
> proportions himalayennes. Je veux dire : c'est un
> accompagnement qui vous permet de passer à
> travers la corvée de la vaisselle. Elle vous donne
> une bande-son pour faire la cour aussi bien que
> pour la solitude. Voilà la partie modeste. Puis il
> y a un élément dans la chanson qui apporte un
> profond réconfort, une consolation profonde et
> une stimulation de l'imagination et du courage.
> Vous ne pouvez pas vous en servir cependant
> pour quelque chose d'aussi déterminé qu'un pro-
> gramme. Ça pourrait se faire, mais ça échoue
> toujours. Une bonne chanson s'évade de son
> dogme. Une grande religion raffermit les autres
> religions, et une grande culture raffermit les autres
> cultures.
>
> (Entrevue avec Cindy Bisaillon,
> *Shambala Sun*)

D'une certaine façon, il est facile de croire que
l'artiste avait anticipé les critiques que je me for-
mulais intérieurement à l'égard du rapport de ses
chansons à une certaine « promotion » de valeurs. Il

connaît sans doute ces critiques que j'ai évoquées de façon négative, et peut-être se les est-il adressées à lui-même? Dans la chanson «Going Home» (*Old Ideas*), un narrateur inconnu, non identifié mais qui semble très bien connaître le chanteur – il le connaît «comme lui-même» –, dit de celui-ci: «il veut écrire une chanson d'amour / une antienne de pardon / un manuel pour vivre avec la défaite». Autrement dit, rien de très réjouissant, de très optimiste ou jovialiste.

Et pourtant, certains parlent de ses spectacles comme étant des expériences spirituelles, l'occasion chaque fois d'une communion au sein de la foule et avec le chanteur sur scène. La masse est parcourue par un sentiment océanique qui berce et qui éveille à la transcendance. Des critiques qui ont une connaissance de la culture juive écrivent que le «cohen» est, pour l'occasion et comme son patronyme juif le suggère, le prêtre («cohen» veut en effet dire «prêtre», en hébreu) d'une certaine liturgie. Ce qui est certes un rapprochement facile, subtil et raffiné, mais assez ténu. Une de ces formules énigmatiques dont les auteurs de comptes rendus de spectacles aiment farcir leurs textes. Bien sûr qu'il y a de la liturgie, chez Leonard Cohen. Il sait ce que c'est et pas seulement de façon subtile et mondaine. Il en a fait l'expérience tout jeune, dans sa famille et à la synagogue, et il a continué toute sa vie d'en pratiquer certains rites. Autour de Hanoukka, par exemple, la fête de la lumière, avec ses enfants, Adam et Lorca. À tel point que sa biographe, Sylvie

Simmons, prétend qu'il aurait fait un excellent rabbin. Ou à tout le moins un grand communicateur du judaïsme (Simmons : 465). Ce qu'il est en effet, mais sans aucune dimension religieuse ou liturgique. De façon plus prosaïque, certains estiment que cette réputation tient tout autant à sa façon de s'habiller (du moins plus récemment), selon toutes les règles vestimentaires juives : chapeau, habit, chemise boutonnée, etc. Comme un rabbin.

Il faut convenir par ailleurs que certaines orchestrations des chansons, certaines présentations en concert, et par Cohen lui-même, enveloppaient les chansons d'une couche un peu sirupeuse, sentimentale, d'un humanisme bon marché et convenu. Des affirmations consensuelles du genre : « Tout le monde a raison, qu'on soit d'un côté comme de l'autre, chacun a droit à son opinion. » Mais cette piste ne mène pas très loin. De façon plus sérieuse, rapporte le cinéaste Harry Rasky, un critique allemand aurait dit de lui qu'il était l'incarnation de tous les désirs insatisfaits, de toutes les questions restées sans réponse des jeunes générations des années 60 et 70. En ce sens, ce que l'on entendrait dans les paroles de ses chansons ne serait pas les réponses qu'on espère, mais l'énoncé des questions qu'on se pose soi-même. Cohen ne serait qu'une caisse de résonance sophistiquée ; une chambre d'écho. Chacun se reconnaîtrait et pourrait dire : « moi aussi, je suis déjà passé par là » ou « je suis en train de passer par là ».

Convenons qu'il en était peut-être ainsi pour les jeunes des générations passées, qui tentent aujourd'hui, à force de bistouris, d'aiguilles et de comprimés, de faire preuve hardiment d'une jeunesse conservée ou restaurée. La question demeure : en est-il de même pour les jeunes générations d'aujourd'hui? Qui aiment Cohen, qui se reconnaissent dans ses chansons, qui assistent à ses spectacles, qui achètent ses disques ou qui téléchargent ses chansons. Ces jeunes ont toujours un penchant pour l'amour, une tendance, une inclination ou même une déviation. Dans « Suzanne », il est question des héros et des enfants qui inclinent vers l'amour de façon organique, botanique, comme des plantes qui étirent leurs branches et leurs feuilles pour capter ce qu'elles peuvent de lumière nécessaire. Et qui vont vivre dans la tendance de cette inclination pendant toute leur vie.

Du côté de l'artiste, on observe également un penchant pour les jeunes, qui se traduit par le souci qu'il se fait pour eux. Ainsi, Cohen a une belle prière, qu'il récitait pour son propre fils, Adam, mais qui vaut pour tous les enfants, fils et filles :

> *Toi qui sondes les âmes, et à qui les âmes doivent répondre, ne rejette pas l'âme de mon fils à cause de moi. Laisse la force de son enfance le mener vers toi, et que la joie de son corps soit entière à tes yeux.*

Elle se termine ainsi :

> *Fais-le tenir debout bien droit sur son âme, bénis-le avec la vérité de son humanité.*

(« Toi qui sondes les âmes », p. 258)

À la fin de sa prière de père, Cohen reconnaît que bien des menaces pèsent sur cette tendance à l'amour, que bien des vautours rôdent autour des jeunes proies, dont son fils fait partie : « Ceux qui désirent le dévorer sont puissants dans ma paresse. Ils ont déjà un numéro pour lui, et une chaîne. »

S'il y a bien chez Leonard Cohen un vrai souci de l'autre, jamais cependant il ne se présente comme un réformateur. Il décrit ce qu'il observe. Il prend note : depuis toujours, depuis ses années d'école, il traîne avec lui crayon et carnet dans lequel il prend des notes et esquisse des dessins. Il est peintre, il dépeint quelque chose de la société qui l'entoure. Mais il ne calcule pas, il ne cherche pas de relations de cause à effet. Dans ses chansons, il montre, il donne à voir et à entendre. Ces observations et ces descriptions qui n'expliquent rien valent mieux que bien des conseils et des prescriptions. Les contemporains s'y reconnaissent. Cohen leur laisse la responsabilité d'en tirer les conclusions dont ils ont besoin pour la conduite de leur vie. C'est leur affaire.

Mais son sujet d'observation préféré, c'est lui-même. Il est pour lui-même une question, une interrogation, et cette attitude le place quasiment parmi les philosophes qui ont eu cette même préoccupation. Il ne cesse de se parcourir, errant dans un labyrinthe sans issue ou passant d'un labyrinthe à un autre. Ses chansons sont les différentes phases d'une longue confession, presque une lamentation parfois, une confession ininterrompue, sans cesse recommencée, scandée au rythme des livres et des albums qu'il a fait circuler. À propos de certains aveux, il n'est jamais satisfait, jamais apaisé. Il n'a pas encore été assez au fond des choses. Il y revient donc, il en vient et il y retourne. Comme le laboureur, il creuse encore et encore certains sillons.

Il pourrait être tentant de le suivre dans ces introspections interminables, et de chercher dans sa biographie les faits ou les fantasmes qui leur donnent naissance. Mais je m'éloignerais top de mon projet. Je ne cherche pas vraiment à éclaircir les textes par le recours à la vie de Cohen, et je ne tiens pas davantage à savoir ce que «Leonard Cohen» en pense lui-même. C'est un sentiment qu'il partage, d'ailleurs. Il a laissé entendre en entrevue que la production de commentaires autour de ses chansons, de ses poèmes ou de ses tableaux ne l'intéresse pas particulièrement. Essentiellement, comme tant d'autres artistes, il dit à l'auditeur, au lecteur, au spectateur: J'ai fait mon travail avec ardeur et avec peine. Ne me demandez pas en plus de vous expliquer ce que je me suis ingénié avec tout mon métier et ma passion à mettre dans mes chansons, mes poèmes, mes tableaux. C'est pourquoi je m'approprie ses textes tels qu'ils sonnent à l'audition et tels qu'ils parlent, de façon plus réfléchie, à la lecture. Je ne m'intéresse pas au citoyen dont on fête en 2014 les quatre-vingts ans, ni au personnage, au nom ou à la marque de commerce. Puisqu'il faut tout de même placer quelques repères biographiques pour s'y retrouver, je m'en suis remis aux indications données par Sylvie Simmons dans *I'm Your Man: The Life of Leonard Cohen* (2012). On y reconnaît le personnage public, puis sa vie secrète («*my secret life*»), la vie personnelle. Occasion d'une confusion, d'enlever le masque, de tomber l'armure et de se montrer *naked*? Par ailleurs, comme à Mumbai, par exemple, où il séjourne quelques jours pour des immersions en hindouisme, Cohen aime passer inaperçu, étranger parmi des étrangers. Ou se mêler aux gens les plus simples, dans des endroits sans prestige ni renommée, loin de la compagnie des riches et des célèbres.

> Les biographies romancées et tout ce qu'elles entraînent à leur suite, toutes ces publications similaires sans lien avec ce qui les précède ne sont pas de simples phénomènes de dégénérescence, mais la tentation permanente d'une forme dont la méfiance à l'égard de la fausse profondeur court sans cesse le risque de tourner à l'habileté superficielle.
>
> (T. Adorno, «L'essai comme forme», *Notes sur la littérature*)

Mais il est là devant nous et c'est ainsi que nous le recevons. Comme on accueille le voyageur qui revient d'un périple au long cours. Nous sommes moins désireux de connaître le détail de ses péripéties que d'entendre ce qu'il a à nous dire et en quoi cette traversée a modelé sa vision du monde. L'intention d'un essai, ainsi que le suggère Theodor Adorno, est de lier et d'articuler ce qui est disséminé, sans en faire pourtant un système. D'ailleurs, l'œuvre d'art, par son essence même, résiste de toutes ses forces à la systématisation. Il reste donc au commentateur à ouvrir et à déplier ce qu'il y a de très condensé dans les chansons, à établir des liens entre les feuillets, les épaisseurs de ces textes, de façon à leur constituer un contexte. Cela importe si on veut que les valeurs prennent leur vigueur et leur couleur, gardent ou retrouvent leur pertinence, leur force de persuasion et d'entraînement à l'action.

Sans vouloir soumettre l'œuvre de Cohen au corset d'un système, on peut chercher une voie d'accès qui ne soit pas trop infidèle à ce qu'il chante. C'est ainsi que le fragment « Love Itself » (« Alexandra Leaving ») s'est imposé. Cette affirmation qui tient en deux mots peut s'entendre en plusieurs sens : l'amour même, l'amour lui-même, etc. L'insistance sur l'adjectif « même » ne renvoie l'amour à aucune autre ressource ni à aucun autre recours que lui-même. Il n'a pas semblé que ce serait faire violence à ce mot d'ordre que de le traduire par « seul l'amour », qui donne son titre à ce livre. Cette indication montre la voie d'accès qui mènerait au centre du message de Cohen. On y accédera par quelques courtes étapes.

Il fallait d'abord établir une problématique sommaire à propos des valeurs. Rappeler ensuite en quoi Cohen est bien vivant dans la culture contemporaine. Esquisser les figures de sage et de prophète sous lesquelles on peut le considérer. S'arrêter plus longuement dans la chambre des amants voués à l'amour seul. Dégager ensuite quelques implications de cet amour, à mesure que le temps tire à sa fin ou à sa perte. La conclusion fait retour sur le chemin parcouru et fait entendre une dernière fois la consigne du début, « seul l'amour », et cette paraphrase de Cohen mise en exergue : « Sans amour, la vie a très peu de sens. »

Valeurs

Dans un contexte individualiste comme le nôtre, quand il est question de valeurs, on a d'abord tendance à se concentrer sur ses valeurs personnelles. Cependant, on est tout de suite forcé d'admettre qu'elles ont été transmises et acquises, par l'entourage familial et par le milieu de l'éducation. Les valeurs apparaissent donc toujours dans un contexte qui les porte et qui en permet la circulation, attachées et reliées par des réseaux d'infinies radicelles. C'est même une condition de vie ou de mort. Il est donc important à la fois de situer le contexte d'apparition des énoncés de valeurs et de maintenir ce contexte vivant. De l'enrichir même. Une déperdition des valeurs est souvent le symptôme de la stérilité du contexte porteur. Pour qu'il y ait une transmission intelligible vers les générations plus jeunes, il faut travailler sans cesse à une véritable reconstitution de ce contexte original qui leur est maintenant inconnu ou fermé. Impossible à connaître autrement que par ouï-dire. Et si des institutions porteuses sont maintenant devenues autant de bâtiments abandonnés et en ruine, tous les autres canaux de transmission: les beaux-arts, la parole, l'écriture, etc., sont appelés à prendre le relais de la promotion et de l'enrichissement du patrimoine originel.

Une autre dimension vient cependant faire contrepoids à une part trop grande accordée à la dimension testamentaire des valeurs, à la considération de leur seule réputation d'un héritage reçu et à transmettre. Au gré de la formation familiale et de l'éducation, le sujet s'est donné une autonomie quant à sa relation au monde. Les valeurs transmises acquièrent des composantes nouvelles, qui leur viennent de la pensée, de l'idée, de l'intelligence qui interrogent, contestent et enrichissent. Chacun découvre des valeurs qui ne sont pas reçues comme étant des normes contraignantes susceptibles d'une sanction, mais comme un type de vertu, de force pratique pour la vie quotidienne. La valeur sert ainsi à organiser le jugement ordinaire et à expliquer une conduite.

Puisqu'il s'est donné un recul, une distance, une faculté de juger, l'individu est en mesure de faire un inventaire du bagage reçu, de déterminer ce qui est encore pour elle ou pour lui moteur de décision et d'action. Les valeurs ainsi retenues deviennent tout à fait personnelles et personnalisées. Elles représentent ce en quoi on a soi-même beaucoup investi, ce à quoi on a entrepris de donner une plus-value personnelle. Elles sont devenues notre façon de vivre, et on y tient. On en vient même à penser qu'il s'agit pour soi d'un patrimoine à léguer ou à diffuser.

Dans le flot des activités de la vie courante, les valeurs servent de monnaie d'échange. Avant même de s'intéresser à la monnaie elle-même, toutefois, il faut au moins souligner l'importance du concept d'échange, ou même de l'activité du «commerce» dans le sens étymologique de ce mot: fréquentation, rapport. Ainsi, il est courant de dire que Leonard Cohen est un homme d'échange, de relation, un homme qui a beaucoup d'entregent et qui est «d'un commerce agréable». En ce qui me concerne, c'est dans ce contexte d'échange que peut se trouver la pertinence de parler de valeurs. Sans échange, en effet, à quoi bon s'intéresser à la monnaie d'échange, sinon d'un point de vue de collectionneur, de numismate? C'est en tenant compte de la vigueur du marché, du commerce entre les humains dans une famille, une ville, une nation, que la question se pose de savoir ce que vaut telle ou telle valeur sur le marché d'aujourd'hui. Les échanges forment un flux, un courant charrié par un grand fleuve. Il est donc normal que les valeurs y fluctuent. Elles ont cours, elle sont en faveur, elles sont cotées ou dévaluées sur le marché. Au cours d'une même vie, des valeurs autrefois prestigieuses peuvent se dégrader jusqu'à l'insignifiance. Certaines peuvent même être retirées du marché ou continuent à circuler, mais avec une valeur si infime qu'elles sont davantage une nuisance qu'autre chose.

Les valeurs sont variables et leur création, leur entretien et leur confirmation sont contextuelles. Tant dans la vie personnelle que dans le destin collectif, c'est dans les situations précise de décision, d'initiative, de comportement que l'on peut repérer les valeurs qui comptent, plutôt que dans des débats théoriques. Ce qui n'empêche pas, toutefois, que certains envisagent avant tout les valeurs d'un point de vue statique, et estiment qu'elles renvoient à des institutions sociales, qu'on pense acquises, bien en place et désormais immuables, telles que la famille, la nation, la religion, la laïcité, la démocratie, etc. Ces entités sont qualifiées par des déterminants grammaticaux – des articles définis – qui les donnent comme des objets bien délimités et circonscrits. Dans ce contexte, on peut établir un inventaire et une comptabilité des valeurs auxquelles il faut tenir, qu'il faut être prêts à défendre ou à imposer aux autres pour la sauvegarde de la vie commune, de la « nation ».

D'un point de vue politique, on peut faire appel à ces valeurs quasi institutionnelles dans un contexte de restauration d'un état antérieur qu'on imagine avoir été un âge d'or. Surtout quand l'époque contemporaine est décrite comme un déclin, une déperdition, une décadence. Cohen n'est pas fermé à cette conception d'un déclin de l'Occident, comme on peut l'entendre dans « The Future », par exemple. Tel un refrain, ou même une litanie, une lamentation assez connue. Le discours est bien établi et on l'entend souvent, sur toutes les tribunes et sur tous les tons. Notre époque, dit-on, a perdu ses repères. Dans un premier temps, on a estimé que ce n'était pas une mauvaise chose. La modernité n'était-elle pas trop assurée d'elle-même, voire arrogante ? Elle avait délaissé, à bon droit, des repères qui étaient devenus inefficaces, ineptes, stériles. Des valeurs dévaluées. Puis, la noirceur s'étant dissipée, à l'heure du midi des intelligences éclairées, ainsi que l'évoque Nietzsche, alors que le soleil plombe sur tout et abolit toute ombre, un désert est apparu. Même la ligne d'horizon a semblé s'estomper, comme si une gigantesque main l'avait lavée à grands coups d'éponge. Et maintenant, que restait-il à faire ? Comme dans les temps très anciens, de ce désert sont montés des gourous exotiques et des guides ésotériques. Les étagères ploient sous les méthodes, les chemins, les exercices.

Heureusement, la conception statique, objectale et rigide des valeurs incarnées par des institutions trouve un contrepoids dans le renvoi et le recours à des principes qui fondent la communauté humaine. Ces principes ont une vitalité qui sert à critiquer les institutions données comme des valeurs absolues. Il y en a quelques-uns que «tout le monde connaît», comme le chante Cohen dans «Everybody Knows». Par exemple, la dignité de la personne, la liberté, l'égalité entre tous, l'honneur, la responsabilité et la fidélité. Aucune institution ne peut prétendre détenir le monopole de ces principes qui ne se laissent d'ailleurs pas enfermer non plus en des systèmes ou des formules. Puisqu'il faut cependant que les individus viennent à les connaître à partir d'une source institutionnelle qui les propage, il n'y a donc pas coupure absolue entre les composantes du système des valeurs.

Enfin, dans l'interaction nécessaire et constante entre l'identité personnelle et la vie dans une société hétéroclite, les individus ne partagent pas un unique système de valeurs, mais ils font usage de différents ensembles qui se recoupent ou pas. De plus en plus, dans le contexte instauré par les technologies, ils partagent aussi des fragments, des bribes, des débris, selon une vitesse de plus en plus accélérée et des durées de plus en plus courtes. Face aux actions à entreprendre, les individus se réfèrent à une pluralité d'ordres normatifs. Chacun en maîtrise plusieurs, dont il se sert comme il se servirait de l'un ou l'autre outil, sans nécessairement sentir le besoin de justifier son choix par des étayages métaphysiques.

C'est dans ce contexte, exposé de façon sommaire, que j'envisage l'apport de Leonard Cohen dans le maintient de certaines valeurs importantes pour la vie personnelle et qui ont une portée sociale. Il le fait de façon explicite quand il mentionne certains principes et même certaines institutions dans les paroles de ses chansons. Il le fait aussi, de façon peut-être encore plus performative et plus significative quand il contribue au maintien et à l'enrichissement du terreau originel de ces valeurs.

Toutefois, en dépit de toute la faveur dont jouit le chanteur, s'élèvent quelques voix plus réservées ou carrément négatives à son sujet. Cohen, disent-elles, ne chante que la mort et le désespoir. Sa vision est étroite : il porte des œillères. Quant à sa voix, elle est médiocre : c'est un homme de peu de voix. Quand il était jeune, elle était rugueuse, parfois stridente. Elle est aujourd'hui veloutée, sucrée. Tout son personnage respire un romantisme sombre qui n'offre qu'un charme poussiéreux et neurasthénique. N'allons-nous pas revivre ou prolonger les «souffrances du jeune Werther» – un roman de Goethe (1774) – qui menèrent à cette époque tant de jeunes à leur perte?

Par ailleurs, si on voulait ouvrir un très grand angle sur le sujet, toute cette reprise flamboyante des valeurs humanistes ne serait-elle qu'un dernier feu d'artifice, comme un baroud d'honneur ou même le feu d'un potlatch? Une surenchère telle que, tout ayant brûlé, on pourrait passer ensuite collectivement à l'âge des cendres et des retombées sinistres, comme le laissent entendre tant de films de science-fiction. Kurt Cobain, dans la prémonition de son suicide, n'a-t-il pas chanté qu'il aimerait entendre du Cohen dans l'au-delà, laissant par là entendre que ses chansons auraient quelque chose d'éternel, de paradisiaque. Elles pourraient tout aussi bien résonner dans un vacuum éternel, le combler peut-être, ou elles pourraient faire partie d'un hypothétique bonheur éternel – sur *The Essential Cohen*, le chanteur a brossé un autoportrait très peu flatteur qu'il a intitulé *Happy at Last*. Souligner la qualité intemporelle des chansons, c'est sous-entendre aussi qu'elles seraient désincarnées, «spirituelles» dans le pire sens du mot, fantomatiques, spectrales. Tout à fait exsangues, éloignées, étrangères à la robuste vigueur nécessaire à la traversée de l'existence.

Les chansons de Cohen enseignent-elles à vivre? Peut-on y trouver un art de vivre et de vivre bien? Il y en a un, en effet, et c'est avant tout un art d'aimer. C'est le cœur de son œuvre, comme l'indiquait le blason sur l'album *The Future*: un oiseau-mouche, un cœur, une paire de menottes et la dédicace à Rebecca De Mornay: «Je n'avais pas encore fini de parler en mon cœur et voici que sort Rébecca, sa cruche sur l'épaule, elle descend au puits et tire de l'eau. Je lui dis: Daigne me donner à boire.» (*Genèse* 24,45) À partir du prénom de son amoureuse, Cohen donne à lire en filigrane un épisode de la Genèse, à l'époque des patriarches, alors que le serviteur d'Abraham cherche une femme pour son fils Isaac. Dans le récit, ce serviteur est anonyme, mais la tradition juive lui donne le nom d'Éliézer, qui est également l'un des prénoms de Leonard Cohen. C'est l'indication d'un filon qu'il faudra explorer plus loin.

Ce qui a une importance déterminante dans le cours d'une vie, les valeurs qu'on chérit entre toutes sont celles que l'on a acquises de haute lutte, par son expérience personnelle. Néanmoins, cette expérience si personnelle et singulière est transmissible. On peut communiquer aux autres les coordonnées de la traversée qui a été faite en solitaire de sorte que d'autres aventuriers pourront aussi lancer leur vaisseau sur les mêmes eaux.

Cohen a fait ce genre de traversée. Il en a condensé les épisodes dans ses poèmes et ses chansons. Il est possible pour les contemporains de voir en lui à la fois un sage et un prophète. En apparence, c'est une contradiction dans les termes. Le sage se présente en douceur, en quiétude, en posture assise et souriante. Le prophète surgit dans sa véhémence ou sa démence, tranchant, révolutionnaire, ou tout au contraire, réactionnaire. La sagesse également, chargée du poids des traditions, est porteuse d'une inertie conservatrice.

Le hippie, le dandy, l'artiste, le sage, le prophète : au cours de sa longue carrière, Cohen a pu prendre l'un et l'autre masque, adopter l'une ou l'autre posture. À son corps défendant, cependant, puisque le chanteur ne s'est jamais attribué l'un ou l'autre statut. C'est plutôt la voix populaire, encouragée par les commentaires des critiques, qui aime le considérer sous un aspect qui ajoute une plus-value au métier de poète chanteur. Comme si ce statut n'avait pas assez d'épaisseur ou de prestige pour s'imposer. À sa valeur propre, la culture du divertissement se sent obligée d'ajouter une composante de portée plus émoustillante.

Il y a en effet chez Cohen un métissage très moderne, de sorte que chacun peut y trouver quelque chose à grappiller. Pour ma part, dans l'objectif de faire apparaître le terreau des valeurs, je m'intéresse davantage à tout ce qui appartient à la culture juive. À l'écoute des chansons de Leonard Cohen, à la lecture de ses poèmes, on se rend compte jusqu'à quel point il est imprégné de tout cet héritage. Et jusqu'à quel point, dans la matière même de son écriture, de son lexique, de son rythme et de son imaginaire passe le souffle de la littérature juive. Le mot « littérature » englobe à la fois tout ce qui vient, tout ce qui est transmis par l'écriture, et, chez les Juifs, par ce corpus des Écritures regroupées dans une bibliothèque qui comprend la Torah elle-même, ses commentaires, ses spéculations, la liturgie et les pratiques religieuses de la synagogue et de la famille. Il s'agit d'un ensemble complexe de textes et de pratiques que l'artiste a non seulement reçu, mais qu'il a également tenté de transmettre à ses enfants.

Dans son histoire personnelle, la tradition érudite juive est représentée fortement par la stature de son grand-père maternel : Rabbi Solomon Klonitzki-Kline, qui avait consacré sa vie à l'écriture, en hébreu, d'un livre sur la Kabbale, *Thesaurus of Talmudic Interpretations* (Simmons : 464). Non seulement le rapport à la tradition érudite, mais également le travail intellectuel avait établi une complicité particulière entre Cohen et son grand-père. Alors même que la maladie lui rendait difficile la communication avec les membres de son entourage, le vieillard reconnaissait en Leonard moins le petit-fils que « l'écrivain », comme lui, les deux seuls à exercer cette profession dans la famille. Mais pour que l'héritage se traduise en valeurs vivantes, il ne peut s'agir que de connivences familiales. Un autre érudit, le rabbin Klein, d'origine américaine, ajoute un point de vue un peu plus approfondi. Au départ peu familier avec l'œuvre de Cohen, il en était venu à mieux le connaître par ses recherches personnelles et par ses conversations avec lui. Il estimait que le chanteur avait saisi de l'intérieur, dans sa tradition juive, la teneur éthique de la brisure, de la guérison, de la dimension tragique de la condition humaine. Il n'était pas étonnant, ajoutait-il, que ses étudiants trouvent dans la poésie de Cohen quelque chose de l'essentiel de la Kabbale, sans les dimensions magistrales, dogmatiques ou théologiques.

Cependant, si cet héritage juif est bien réel, assumé, entretenu, enrichi et transmis, il est enchâssé dans un environnement culturel sécularisé. Comme tant d'autres, le Juif Leonard Cohen ne passe pas pour (un) Juif. Sa religion est lavée et délavée, purifiée, épurée par les lumières de la raison et fondue dans un patchwork d'arts de vivre de toutes origines. Ses pratiques vestimentaires, ses signes, ses rituels et ses codes sont passés dans une esthétique détachée de ·toute appartenance spécifique et devenue patrimoine culturel mondial.

On peut saisir un parallèle lumineux entre le travail de Cohen et l'œuvre du peintre Marc Chagall. Cohen a d'ailleurs publié un poème au sujet du peintre dans son premier recueil. Ils ont en commun toutes ces scènes qui représentent des amoureux, des fiancés, de jeunes mariés aériens qui s'élèvent dans l'espace. Toutes les représentations des fêtes menées par un violoniste parfois juché sur le toit d'une maison au centre du village. Chez Cohen aussi, le violoneux «violonne» quelque chose de tellement sublime : «*And the fiddler fiddles something so sublime*» («Closing Time»). C'est également en suivant la musique d'un violon en feu que tu me feras danser jusqu'à ta beauté : «*Dance me to your beauty with a burning violin*» («Dance Me»). Il ne me restera alors qu'à laisser le déluge de ta beauté submerger mon violon bon marché et ma croix («Take This Waltz»).

Et dans les peintures de Chagall également, se tiennent recueillies ces silhouettes de Juifs pieux et studieux, enveloppés dans leur *talith*, leur châle de prière, et les *hassidim* dont il avait également appris à connaître les traditions dans les *Récits hassidiques* de Martin Buber.

Cohen bien vivant

C'est évidemment par ses chansons que l'artiste est le plus connu, qu'il entre en contact, à travers le monde et au gré des années, avec le plus grand nombre de personnes. En tant que musicien, Cohen s'est rapidement intéressé à l'informatique. Il a aussi tiré profit des possibilités d'Internet afin d'entretenir un lien avec son public, peu importe où il se trouvait dans le monde. Il a volontiers collaboré au site leonardcohenfiles.com, créé par le Finlandais Jarkko Arjatsalo, auquel sont venus par la suite se greffer d'autres sites du même genre ainsi que des pages Facebook.

Le chanteur s'est décrit avec humour comme étant ce bambin doué d'une voix d'or, béni au berceau par les vingt-sept anges des visions, qui l'ont enchaîné à sa table de travail ou enfermé dans la tour aux chansons. Tant de talent n'exempte pas du travail. Et même du travail forcé dont il allait faire la dure expérience pendant les longues et lentes agonies des interminables réécritures de ses chansons. Il s'acquitte pourtant de sa corvée afin, dit-il dans «Tower of Songs», de payer son loyer, chaque jour, dans ce donjon aux chansons.

Un autre autoportrait encore (« Last Year's Man ») représente également le poète chanteur dans son atelier, sa guimbarde (*jews harp*) sur la table, le crayon à la main, des plans d'architecte, tenus autrefois par des punaises et maintenant impossibles à dérouler correctement parce qu'ils ont été irrémédiablement froissés. La planification ne va pas bien, le travail n'avance pas. Ailleurs (« Banjo », *Old Ideas*), c'est le banjo, un autre instrument familier, qui illustre le travail à accomplir. Ou un tambour, un tambourin peut-être, qui ne peut pas être réparé alors que la pluie tombe aux fenêtres.

La tour semble héberger aussi d'autres comparses célèbres, dont le mythique Hank Williams – pour qui le chanteur a une telle admiration qu'il le place au centième étage –, qui tousse toute la nuit. Tout comme le poète Rutebeuf avait chanté : « que sont mes amis devenus / que j'avais de si près tenus », sur le chemin de ronde de sa tour à chansons, le chanteur constate que ses amis sont partis : « le vent les emporte, les emportera », que ses cheveux sont devenus gris, qu'il a mal maintenant dans ces endroits qui autrefois lui donnaient du plaisir. Est-ce le fait des manigances de cette méchante femme, une lointaine amante abandonnée autrefois et qui aujourd'hui transperce d'aiguilles une poupée qui ne lui ressemble pourtant pas (« Tower of Songs ») ?

Dans les commentaires qu'il adresse au public, lors des concerts qui ont marqué son retour, depuis 2008, Cohen a souvent dit « merci pour toutes ces années pendant lesquelles vous avez gardé mes chansons vivantes». Il adressait également ses remerciements aux nombreux artistes qui avaient repris ses chansons alors qu'il s'était éloigné de la scène pendant longtemps. Il voulait avant tout remercier le public qui avait continué de les acheter, de les écouter, de les apprendre par cœur. Alors qu'il affirme ne pas s'en faire si ses livres attrapent la poussière sur les tablettes, il insiste sur le fait que ses chansons ont toutefois besoin d'être chantées, par lui ou par quelqu'un d'autre, pour vivre, s'épanouir, prendre tous leurs sens possibles.

Il faut donc situer la carrière du chanteur dans la durée. Sa longévité et son endurance l'ont servi. Les cyniques penseront que si tu es là pendant assez longtemps, si tu persistes et signes, tu finiras bien par recevoir une forme ou une autre de reconnaissance. Ce qui est loin d'être sûr, cependant: les contre-exemples ne manquent pas. Mais après tout, il ne s'agit pas seulement de sa durée à lui, Leonard Cohen, de sa progression en âge, mais tout autant et peut-être plus de la durée de ses chansons, de leur traversée dans le temps, qui est le prolongement de la très longue durée de leur gestation. C'est-à-dire de leur vieillissement, de leur maturation, de leur bonification. De leurs transformations, de leurs résurrections par des reprises, des rééditions, etc. Et de la multiplicité de sens qu'elles ont ainsi acquises, de 1967 (*Songs of Leonard Cohen*) à aujourd'hui.

Certaines ont mené leur vie, roulé leur bosse de façon quasi autonome. Elles ont connu des carrières variées, comme bandes sonores de films par exemple, et surtout par le fait qu'elles ont été reprises par un très grand nombre d'artistes. Il s'est tissé autour d'elles tout un réseau, une toile (*web*) de voix, masculines et surtout féminines. C'était d'ailleurs ainsi à ses tout débuts : alors que Cohen était encore muet, tétanisé par le trac, c'est la voix et la prestance de Judy Collins qui firent connaître « Suzanne ». Des spectacles hommage de la scène alternative, de la pop, du rock et de la country ont démontré l'admiration, le respect et l'affection portés à Leonard Cohen. Autant d'initiatives qui font de ce pessimiste dans l'âme, de ce personnage énigmatique et charmeur, un artiste aujourd'hui unanimement reconnu et respecté. Elles sont aussi une preuve de la reconnaissance de son immense talent d'écriture.

À son cinquième disque, en 1974 – après un concert important à l'île de Wight en 1970 –, des critiques considèrent qu'il a déjà touché beaucoup de monde. Une liste des chansons les plus connues est déjà en place : « Suzanne », « Sisters of Mercy », « The Stranger », « Hey, That's no Way to Say Goodbye », « Partisan », « Story of Isaac », « Seems so Long Ago », « Nancy », « Famous Blue Raincoat », « Joan of Arc »… Après les trois premiers albums dont la forme était presque parfaite (1967, 1969, 1971), la production va sembler plus chaotique. Elle est plus expérimentale, alors que le chanteur travaille avec des collaborateurs et des collaboratrices pour obtenir la qualité de son qu'il recherche. Les musiciens lui proposent aussi de nouvelles sonorités. Pour son album *Songs of Love and Hate*, l'étrange Phil Spector fait main basse sur son travail et lui impose sa propre marque. Tous ces albums sont donc autant de bilans des expériences que mène l'artiste à ce moment-là. Il faut pourtant tenir compte d'un décalage entre la date de parution des disques et le travail de composition. Le poète a expliqué plusieurs fois combien l'écriture pour lui est longue, ardue. S'il gardait avec lui depuis l'adolescence des carnets d'écriture, c'est parce qu'il a besoin à la fois de laisser sortir des ébauches spontanées – en parallèle, ses manuscrits sont souvent ornés de gribouillages, d'esquisses – et de pouvoir apporter sans fin des corrections, des ratures ou des amplifications à ces premiers jets. Et aussi beaucoup d'abandons, de renoncements. Il arrive donc que des parutions rapportent les notes, les marques d'expériences déjà très éloignées dans le temps. Même en ce qui concerne les albums, il y a parfois des délais importants entre le moment des enregistrements en studio et celui de la sortie du disque. Tout cela pour dire qu'une chronologie de la parution des disques ne colle pas nécessairement avec la diffusion des comptes rendus de l'expérience traversée.

Les disques de Leonard Cohen n'ont pas tous eu la même fortune. D'une part, au gré des parutions de différentes époques, chaque auditeur s'est constitué une sélection personnelle de ses chansons préférées. Et d'autre part, très rapidement, les compagnies de disques se sont mises à faire paraître des anthologies des chansons de Cohen qui ont fait oublier les productions plus erratiques. Ces *best of*, *greatest hits* ou *essentials* doivent permettre à l'auditeur de se faire une idée de l'œuvre dans ses grands titres. Dans les anthologies plus récentes, ce sont les jeunes qu'on cherche à rejoindre, ceux et celles qui ont découvert Cohen depuis peu et qui ne sont pas au fait des phases antérieures de sa carrière. De façon générale, le chanteur participe au choix des titres dans la constitution d'une anthologie. Il y a donc quelque chose de personnel qui passe dans ces albums, même si les compagnies de disques réduisent encore sévèrement la liste qu'il leur a soumise. Aujourd'hui, un auditeur doit se rappeler que certaines des meilleures chansons de Cohen ne sont pas passées dans les anthologies ou dans les programmes de concert. Il doit donc toujours se garder la possibilité de revenir aux premières publications, d'aller entendre chaque chanson dans son contexte initial.

La programmation des spectacles a évolué et changé de portée au cours des années. Dans un premier temps, les spectacles, organisés en tournées, servaient à faire la promotion d'un album qui venait de paraître, une pratique à laquelle le chanteur s'est toujours soumis à contrecœur. Il a éprouvé plus d'enthousiasme pour les tournées récentes qui n'avaient pas ce caractère promotionnel et dont la programmation était davantage conçue en vue d'un récital des meilleures chansons. On pourrait dire que ces spectacles sont la face *live* des anthologies de titres essentiels. Peut-être aussi les chansons les plus « spectaculaires », les plus susceptibles de passer la rampe, de rejoindre un public diversifié, composé d'auditeurs de longue date, les contemporains de « Suzanne », et les chansons de la dernière heure. Ces jeunes qui s'étonnent de voir ce vieillard chanter avec cœur une chanson qu'il semble connaître aussi bien qu'eux. À partir de « I'm Your Man », en effet, et portés par la vague des multiples reprises d'« *Halleluja* » par des interprètes parfois très éloignés de l'univers du chanteur, les jeunes considèrent que le vieil homme est *cool*. Les titres au programme des tournées ont des visées plus esthétiques, plus artistiques, destinées à démontrer que le poète chanteur est toujours vivant et vif, qu'il connaît les nouvelles donnes de l'industrie du divertissement et qu'il en fait vraiment partie. Ce sera donc l'occasion d'entendre aussi bien des chansons qui se sont décantées et bonifiées avec le temps, dégagées de la gangue des circonstances ponctuelles qui les ont vues naître. Elles ont acquis un caractère intemporel, et les circonstances de leur création n'apportent plus grand-chose à leur force de persuasion. Si on combine la liste des chansons « essentielles » et celles qui sont encore au programme des tournées en cours, on obtient une quarantaine de chansons – les critiques vont parler d'un « canon », d'un ensemble fixe considéré comme typique – qui ont pris de la valeur et qui sont porteuses de valeurs.

En dépit de la délimitation d'un couloir d'écoute établi par les anthologies et par les spectacles, l'auditeur est convié à tracer son propre parcours, qui ne peut pas être un mouvement dans un seul sens. Il faut des retours, des reprises. La traversée est orientée par une destination et une destinée. Elle n'est pourtant pas seulement un mouvement vers l'avant, mais plutôt une avancée en spirale : je suis déjà passé par ici, mais je trouve aujourd'hui que tout est à la fois pareil et que tout a changé. Sans doute ai-je changé moi-même. Cela veut dire qu'à certains moments, on revisite, on revient sur les chansons des productions antérieures et on les entend différemment. On y décèle tout à coup des choses qui étaient là dès le départ, mais comme latentes, dormantes. À partir de cette démarche rétrospective, la carrière de Cohen prend une nouvelle couleur, elle jouit d'une nouvelle portée. Il ne faut donc pas faire l'économie des périodes plus difficiles, moins prolifiques. La sagesse, la convivialité, la bonhomie même des dernières tournées de spectacles, l'aspect soigné et pacifié des derniers disques ne doivent pas nous faire oublier par quels sentiers tortueux, étroits et difficiles le chanteur en est venu là.

Ce que les spectateurs et les auditeurs entendent dans ses chansons n'est pas un programme ni un manifeste qu'il chercherait à promouvoir ou à défendre. Il ne s'agit pas non plus de plans ni de stratégies, bien que des indications empruntées à ce concept de planification se trouvent aussi bien dans des expressions de sens militaire (« First We Take Manhattan », « Field Commander Cohen ») ou architectural : le *blueprint* dans la chanson « Last Year's Man ». Tout à l'opposé d'une dimension programmatique et statique, c'est à une traversée qu'il nous invite, à une expédition. « Eh bien, je suis passé par où tu te tiens / je pense que je peux voir comment tu es coincé.» («Sisters of Mercy») Essayons de le suivre dans quelques-unes des expériences dont il nous fait part.

Ses expériences

Cohen a connu toutes les explorations sexuelles et spirituelles en vogue au début des années 60. Les unes souvent emmêlées aux autres. Avec certaines formes de vie qui leur étaient associées, à Hydra par exemple où il a passé sept ans, à partir de 1959, cette Grèce où aurait été inventée la tragédie, écrit Nietzsche, «enfantée par l'esprit de la musique» sous le patronage de Dionysos, le dieu rieur et effrayant. Le jeune artiste y fait l'expérience de l'amour des femmes, de la compagnie des hommes, de la simplicité de la vie: habitation, alimentation, vin, tabac, haschisch, etc. Une mise en scène du travail d'écriture qui s'est transportée par la suite en d'autres lieux: «J'étais alors drogué et heureux. J'écrivais à partir du plus profond de mon coup de soleil. Mais assez du passé.» («Politique de ce livre») Au fil des années, sa vision du monde est enrichie d'autres pratiques: la fréquentation des classiques du judaïsme, du bouddhisme (le *Livre des morts tibétain*, le *I Ching*), la pratique du jeûne, la méditation, les mantras.

Ce qu'il importe de saisir, c'est moins la multiplicité des expériences, dont on peut trouver les détails dans les biographies, que le mouvement, l'emportement de la traversée. Un «mouvement», c'est le sens étymologique du mot «ex-périence», qui fait valoir ce qu'il y a en elle de passage, qui ne va pas sans péril. C'est le sens des prépositions «au travers» et «à travers» (*through*) dont le chanteur se sert très souvent. Un des contextes les plus forts de cette traversée est celui du destin de Jeanne d'Arc que Cohen a évoqué plusieurs fois. Quand elle est seule et abandonnée de tous sur son bûcher, personne, aucun homme ne peut lui faire traverser cette nuit enfumée: «*No man to get her through this smoky night.*» («Joan of Arc»)

Pour les humains, il s'agit d'une traversée périlleuse, dont celle d'Ulysse, le rusé navigateur grec, demeure le modèle occidental immortalisé par Homère dans l'*Odyssée*. Cohen en a été en quelque sorte le contemporain familier pendant son séjour à l'île d'Hydra. Toutefois, c'est à la caravane d'un autre groupe d'étrangers et de voyageurs qu'il se joint plus volontiers. Le chanteur revit à sa façon la traversée juive qui consiste en une sortie de son pays et de sa patrie, telle que l'entreprit Abraham le patriarche et père des croyants («Story of Isaac» et «The Butcher»), avec tout son clan, sur la foi d'une promesse. Puis la sortie plus périlleuse encore de la prospère Égypte, l'exode de tout un peuple et l'errance au désert, sous la conduite du prophète par excellence, Moïse. S'il est vrai que celui-ci a écrit la Loi sur des tables de pierre – d'autres estiment qu'il est l'auteur de l'ensemble de la Torah –, Cohen se dépeint par dérision comme «le petit Juif qui a écrit la Bible» («The Future»).

La matière de cette expérience qui nous marque le plus est ce qui survient de dur et de pénible dans nos vies. Ce qu'il nous faut endurer, sans rompre, en persévérant. L'expérience est souvent un pâtir ou une passion. Le mot «passion» prend une dimension très significative chez Cohen, dans les deux sens de fougue amoureuse et d'endurance quasi christique. En poursuivant le fil de cette comparaison, il n'est pas étonnant de comprendre que l'expérience mène parfois à la cassure. L'expérience se vit alors comme ce qui craque, se rompt, se brise. Les mots *broken* et *brokeness* sont des mots-clés dans la poésie de Cohen. Dans «If It Be Your Will», c'est depuis une colline brisée qu'il dit recevoir son inspiration, son «commandement» de chanter:

Si c'est ta volonté
Qu'une voix soit vraie
Depuis cette colline brisée
Je chanterai pour toi
Toutes tes louanges vont résonner
Depuis cette colline brisée
Si c'est ta volonté
De me laisser chanter
Depuis cette colline brisée.

De cette fracture, il n'hésite pas à donner comme représentation dramatique les membres brisés du Christ en croix («Suzanne»).

Autant dire que la joie est durement acquise. Le chanteur ne présente pas le «héros» de ses chansons comme quelqu'un pour qui la vie est facile, pour

qui la joie jaillit de tous les instants d'une vie quotidienne ensoleillée, comme dans la chanson de
Charles Trenet par exemple : « Y'a d'la joie / Bonjour
bonjour les hirondelles / Y'a d'la joie, partout y'a d'la
joie ». À tout dire, son héros est plutôt un anti-héros
qui ressemble davantage au Grégoire Samsa de *La
métamorphose* de Kafka – ou à Kafka lui-même –,
perpétuellement inquiet, troublé, dont les victoires
sont brèves, les batailles chroniques et les exaltations
amoureuses éphémères et conquises de haute lutte.

Ce combat se livre d'abord dans sa propre maison,
alors qu'il faut abattre les murs, briser l'enfermement
de l'ego. Ce n'est pas nécessairement le résultat d'une
initiative, d'une action entreprise. Une ascèse peut
aider, ainsi que Cohen en a fait l'expérience auprès
de Roshi, au monastère du mont Baldy. Mais il n'est
pas nécessaire de s'inscrire à quelque école que ce
soit. Le cours des choses, la vie elle-même nous brise
ou brise quelque chose en nous. Un cours des choses
qui peut être accéléré par les excitants, les drogues,
l'alcool, les expériences d'une vie limite, borderline,
sur le fil du rasoir. Et par ces fissures, la lumière entre,
selon le vers bien connu de la chanson « Anthem » :
dans toute chose, il y a une fente, c'est par là que la
lumière entre. Cette lumière, a-t-il commenté,

> est la capacité de réconcilier votre expérience,
> votre chagrin avec chaque jour qui se lève. C'est
> une compréhension qui va au-delà de la significa-
> tion ou du sens, qui vous permet de vivre une vie,
> d'embrasser les désastres et les peines et les joies
> qui sont notre lot à tous. Mais c'est uniquement

possible par la reconnaissance de cette faille en chaque chose (en chaque être). J'estime que toutes les autres visions sont condamnées à un pessimisme incurable.

(Simmons : 391-392)

Cette lumière est peut-être celle d'une aurore, d'une renaissance, d'un recommencement ? Les sages ne disent-ils pas : « à chaque jour, je commence », de même que « les oiseaux chantent à l'aurore ». En exergue à son livre *Aurore*, Nietzsche a cité ce passage du *Rig Veda*, une collection de textes sacrés de l'Inde antique : « Il y a tant d'aurores qui n'ont pas encore lui. »

De ces multiples fractures, peut s'ensuivre une recomposition de la personnalité, une renaissance. Mais dans la continuité, en assumant les blessures et les cicatrices. Une des « qualités » de Cohen est de ne pas faire mystère des siennes, des coups qu'il a reçus et de ceux qu'il a portés. Il les chante, il les évoque avec une certaine pudeur, mais sans craindre de laisser (entre)voir « [s]on cœur mis à nu », comme l'écrit Baudelaire. Et son corps aussi bien, de même que celui des amoureuses qu'il dénude. Avec une certaine crudité autrefois, avec plus de pudeur aujourd'hui.

Les formes blessées apparaissent :
La perte, toute son étendue ;
Et simple bonté ici,
La solitude de la force

(« The Letters »)

Ces paroles sont tirées d'une chanson qui a la forme d'une lettre et qui parle de missives envoyées et reçues. « Tu n'as jamais aimé recevoir, écrit le correspondant, les lettres que j'envoyais. Maintenant, cependant, tu as saisi la teneur de ce que mes lettres voulaient dire. Voici que tu les lis, celles que tu n'as pas brûlées, tu les presses sur tes lèvres, mes pages de soucis. » C'est un exemple parfait de ce contexte que Leonard Cohen veut établir avec ses auditeurs : une communication d'expériences dont la lettre adressée représente la forme parfaite.

L'adresse personnelle

Dans ses spectacles de tournée, le chanteur aime garder pour la fin « I Tried to Leave You » (*New Skin for the Old Ceremony*), et la réponse du public montre que c'est un grand numéro de fermeture. Au départ, cependant, il s'agissait d'une déclaration tout à fait personnelle, à propos de la vie intime du couple : « bonne nuit, ma chérie, j'espère que tu es satisfaite / le lit est un peu étroit, mais mes bras sont grands ouverts / et tu as devant toi un homme qui travaille encore pour avoir ton sourire ». La reprise audacieuse de cette chanson en concert réalise la transposition dans le domaine public de ce qui était du domaine strictement privé. Elle suggère également ce qu'il peut y avoir d'érotique dans la dynamique de la scène : le public est une femme aimée et le spectacle est un « faire l'amour ». La critique a déjà décrit un concert à Toronto comme ayant été un *love-in*.

Ce sont des indications de la dimension collective de la relation entre le chanteur et son public. Cependant, l'art de Cohen est de faire croire qu'il chante avant tout pour chacun des spectateurs. «L'amour t'appelle par ton nom» peut s'entendre comme un sous-titre qui viendrait coiffer chacune de ses chansons. La personne qui le regarde et qui l'écoute n'a pas l'impression qu'il est là, sur une scène, de façon impersonnelle, mais bien qu'il s'adresse à chacun individuellement, qu'il chante pour elle ou pour lui, en dépit de la foule qui l'entoure. Aurait-il raffiné cette façon de faire au moment d'entreprendre sa grande série de tournées? Quand elle évoque le premier concert de 2008, à Fredericton (Nouveau-Brunswick), Sylvie Simmons écrit que Cohen chantait comme s'il était venu à cet endroit, seul, pour confier à ces gens assis dans leur fauteuil, à chacun d'entre eux en particulier, un secret. Comme s'il n'avait rien d'autre avec lui que sa vie en chansons.

Cette adresse personnelle évoque le mode de communication de la lettre, la correspondance, l'échange épistolaire. L'envoi à une personne bien particulière – et si c'est une lettre d'amour, à une personne aimée –, le ton confidentiel qui convient à la destinataire et au sujet dont il est question dans la lettre. Sous cette forme épistolaire, c'est toute la traversée de l'expérience qui est racontée, échangée et donnée à poursuivre. C'est une chaîne de lettres : «Commence toi aussi à écrire ta propre lettre à celui qui vient après.» La lettre est un objet qui participe, qui fait partie de l'expérience. On l'écrit, la poste, on l'attend, la reçoit, la lit, la chérit – quelqu'un en porte les feuillets à ses lèvres –, lui répond ou pas, etc. Cohen ouvre encore davantage l'éventail des moyens de communication quand il y ajoute le poème, les textes manuscrits, les dessins, les peintures qui sont autant de témoignages d'une expression très personnelle.

La lettre est affective, émotive, elle est une expression de sentiments qui peut tendre vers une forme plus poétique. Mais elle est aussi informative, l'occasion de raconter des événements que les correspondants veulent partager. Toutefois, au lieu d'être une banale énumération de faits, la lettre peut prendre la forme d'un récit plus ou moins condensé. Puisqu'elle est proche de la nouvelle, une autre forme brève de récit, Cohen peut alors y montrer toutes ses qualités de narrateur, de conteur.

Ce qui rend la position de l'auteur si intéressante, si expressive, si parlante, c'est que non seulement il vit des situations auxquelles chacun peut se rapporter, mais il possède l'art de les raconter, de les faire passer en mots, en figures et en rythmes. À partir de *The Future* (1992), il a développé cette narration rythmée, qui était d'abord strictement réglée de façon quasi comique par son petit clavier Casio. Dans l'espace réduit du monastère du mont Baldy, c'était le seul instrument qu'il pouvait se permettre de posséder. Puis, il s'en était entiché et ne s'en séparait jamais. Ce qui lui a permis d'improviser sans contrainte dans sa première chanson du concert de Londres. Le rythme minimaliste de la petite machine est repris dans les voix des Webb Sisters, Charley et Hattie.

L'aspect mécanique, répétitif, prévisible, apporte une touche d'humour que le musicien sait exploiter pour charmer et détendre le public. Quand il joue avec application quelques notes d'introduction sur ce petit clavier, la foule bon enfant applaudit et le musicien remercie comme un débutant fier de ses premières notes : « Vous êtes trop gentils. »

Le rythme est essentiel à toutes formes de langage chez Cohen : il est une manifestation de la veine poétique qui bat dans ses textes. Dans le partage d'expériences par l'art de raconter, la poésie prend des tournures plus proche de l'oralité, avec le recours à la mise en scène, aux personnages, aux dialogues toujours menés par un « je ». La lettre donne ainsi l'impression d'une conversation à deux même si parfois cette construction dialogique peut aussi être polyphonique, à trois voix, ou trois personnages fictifs. Dans « The Stranger », par exemple, alors que le narrateur s'adresse à une deuxième personne pour lui parler d'une troisième.

Et puis, tirant de son portefeuille
Un vieil horaire de train
Il te dira : je t'ai dit quand je suis arrivé
Que j'étais un étranger.

Plus encore, en écoutant les chansons, on ne fait pas que l'expérience des faits qu'il raconte, mais, en sa compagnie, de manière encore plus concrète, l'expérience d'une traversée du et dans le langage.

De la même façon qu'un vêtement nous donne l'expérience d'être vêtu, couvert, habillé, et nous donne également l'expérience, révélée par le toucher, de la texture du tissu même, et nous procure aussi la jouissance esthétique de porter un vêtement bien coupé, qui nous sied, nous habille et nous met en valeur.

Comme le dit le proverbe, « celui qui a fait des voyages a quelque chose à raconter ». Et certes, le voyage géographique, le déplacement dans l'espace et dans le temps, l'exploration même, demeurent le modèle, l'archétype de ce qui peut déclencher un récit qui va captiver les auditeurs avides d'exotisme et d'aventures. Cependant, même parmi les plus sédentaires, qui n'a pas voyagé dans sa vie, ne serait-ce que dans l'espace le plus étroit de son environnement quotidien? En 1794, la situation d'un jeune soldat mis aux arrêts dans sa chambre pendant quarante-deux jours fournit assez de matériel à Xavier de Maistre pour écrire *Voyage autour de ma chambre*. Il peut arriver chez Cohen que ce soit la narration des menus événements de la vie quotidienne, selon la forme de l'écriture journalistique des faits divers. L'ouverture de cette chanson, par exemple :

Quatre heures du matin, fin décembre
je t'écris maintenant simplement pour voir si tu vas mieux
il fait froid à New York, mais j'aime l'endroit où je vis
il y a de la musique dans la rue Clinton toute la soirée
                                        (« Famous Blue Raincoat »)

Cette description prosaïque des activités de la vie quotidienne se retrouve comme une constante de l'art moderne sous plusieurs de ses formes. Les auditeurs qui ont l'oreille affinée peuvent au moins entendre en écho la célèbre chanson de John Lennon « A Day in the Life ».

Me suis éveillé, suis tombé en bas du lit
ai passé un peigne dans mes cheveux
trouvé mon chemin dans l'escalier, bu une tasse
en levant les yeux, ai noté que j'étais en retard
trouvé mon manteau, attrapé mon chapeau
pris le bus de justesse
monté à l'étage et fumé
quelqu'un s'est mis à parler et je suis parti dans un rêve.

Cette façon de raconter était déjà bien établie dans les premiers textes de Leonard Cohen. En 1961, à la parution de son recueil de poésie, *The Spice-Box of Earth*, le critique littéraire Northrop Frye avait fait remarquer qu'on se trouvait devant une poésie « dans laquelle les chroniques des tabloïds sont célébrées dans les rythmes limpides des chansons de folklore » (Simmons : 97). C'était dans l'air du temps, au moins depuis que le poète Apollinaire avait écrit déjà en 1913 : « Tu lis les prospectus les catalogues les affiches qui chantent tout haut / Voilà la poésie ce matin et pour la prose il y a les journaux » (« Zone »).

D'autres chansons peuvent s'écouter comme des contes mis en musique, et l'une des meilleures est sans doute « One of Us Cannot Be Wrong ». Une histoire fantastique, fantaisiste et loufoque, dans un style qui n'est pas loin de celui des *Contes* de Jacques Ferron. Pour faire rire ou sourire l'amoureuse, pour l'amuser et la séduire. La séduire en l'amusant, afin qu'elle laisse son amoureux, selon une formule à double sens, «venir dans la tempête» (« *O please let me come into the storm*»). L'intrigue se compose de quatre vignettes qui tournent autour d'autant de personnages : l'amoureux, le médecin, le saint et l'Esquimau. Ils ont tous en commun une certaine relation réelle ou imaginée avec l'amoureuse, qui est la destinataire de l'histoire. On peut la résumer en prose : «J'ai allumé une fine chandelle verte pour te rendre jalouse de moi, mais la pièce s'est aussitôt remplie de maringouins qui avaient entendu dire que mon corps était disponible. Survint ensuite un médecin qui s'est prescrit une ordonnance à son propre usage : il y était question de toi. Il y avait également un saint qui t'avait aimée, et son enseignement était que les amants se devaient de ternir l'éclat de la règle d'or. Mais il s'est noyé dans sa piscine. Un Esquimau enfin me projette un film qu'il a tourné sur toi. Le pauvre gelait en te filmant, pendant que tu retirais tes vêtements.» Et pour finir, le narrateur revient à sa propre situation et implore : « Ô laisse-moi venir dans la tempête. »

Cette forme d'adresse, l'apostrophe, l'invocation ou l'imploration est fréquente. Dans le contexte de l'échange, elle renforce la puissance du signal envoyé, elle manifeste l'attente d'une réponse, d'un retour de courrier. C'est ce que signifient toutes ces phrases en «ô» telles que : « *O crown of light, O darkened one* »

(«Boogie Street»). Ailleurs, l'imploration se répète et persiste comme une litanie : « *Tell me again, tell me over and over, tell me you want me then* » («Amen»). Le conteur raconte, mais il veut également connaître quelque chose de l'expérience de l'autre : «Raconte, raconte, raconte-moi quelque chose, et raconte-toi par le fait même.» Dévoile-toi par l'histoire que tu me confies. Par la même occasion, dévoile-moi quelque chose de toi d'encore plus intime, plus charnel, plus érotique. Puisqu'il s'agit d'une performance qui passe par la voix, l'important n'est pas seulement la mise en forme de l'histoire dans l'écrit, mais aussi la façon dont elle est portée par le grain de la voix sur le disque ou pendant le spectacle. Il faut que le propos ou la confidence passe dans la voix du chanteur. Lors de l'enregistrement de *New Skin for The Old Ceremony*, le producteur John Lissauer lui recommande : «Conserve les vers, garde la ligne narrative intacte, mais communique une histoire.» (Simmons : 278) C'est-à-dire fais sentir dans ta voix un flux de paroles vibrantes.

D'un point de vue chronologique, c'est avant tout comme poète que Leonard Cohen s'est d'abord fait connaître, et sa valeur a rapidement été reconnue et consacrée. Dans quelque genre littéraire qu'elle se moule – roman, poème, chanson –, son écriture demeure avant tout sous l'emprise de la fonction poétique. C'est-à-dire que ses textes ne cherchent pas d'abord à transmettre de l'information au sujet du monde réel ni à convaincre les gens de s'engager dans une action. La langue est une valeur en elle-même. Les mots sont lancés en l'air comme des dés et le texte se forme et se déforme dans les jeux, les liens, les reflets et les renvois qu'ils développent les uns par rapport aux autres grâce au savoir-faire de l'écrivain. Dans *Book of Longing* (2006; traduit: *Livre du constant désir*, Garneau 2007), il écrira encore: «Ô poésie, ma circoncision extrême», indiquant par là qu'elle est sa marque la plus personnelle, incisée dans sa chair. Les poèmes ont une dureté, un caractère compact, ils possèdent une force de frappe plus puissante que les chansons. Il ne faut pourtant pas marquer une séparation ou une opposition entre les deux modes d'expression. Cohen lui-même disait, en 1969, qu'il n'y avait pas de différence entre ses poèmes et ses chansons (Simmons: 143). Il ajoutait que c'étaient avant tout des raisons économiques qui l'avaient mené à orienter sa carrière vers la chanson plutôt que vers la littérature: ses livres étaient bien reçus et bien cotés, mais ils restaient sur les tablettes et ne pouvaient pas lui assurer un revenu convenable. La célèbre «Suzanne» a d'abord été un poème intitulé «Suzanne Takes You Down» (1966), et Cohen garde la réputation d'être le plus littéraire des paroliers. L'écrivain tire parti de certains mots, choisis et privilégiés pour leur sonorité. Il y a donc chez lui des expressions qu'il utilise fréquemment; elles sont importantes à la fois pour leur signification, mais aussi pour leurs sonorités – *shadow, broken, brokeness, naked* (dont on dit que personne ne le prononce comme Cohen). Ces mots se regroupent par chaînes, lesquelles dessinent, déterminent, délimitent des champs thématiques, des champs de signification. Ce qui rend d'ailleurs la traduction française difficile (voir la note à ce sujet à la fin du livre).

Il serait sans doute juste de considérer les poèmes et les chansons comme les deux faces d'une seule et même expression poétique qui passe par la force des mots, par leur musicalité et leur pouvoir d'évocation. Le chanteur déclare qu'il chante « afin de communiquer de façon plus directe et plus juste mes sentiments à un plus vaste public et d'une manière plus dramatique ». De même que les chansons sont adressées au public de façon presque individuelle, le langage poétique redouble ce mouvement : il est comme une flèche décochée vers une cible.

De prime abord, l'orientation de la poésie n'est cependant pas d'obtenir un assentiment de la part du destinataire, à la différence de la rhétorique qui cherche à convaincre et à faire agir. Pourtant, la veine poétique elle-même n'est pas dénuée d'une force d'entraînement. En effet, elle demeure foncièrement libre, c'est une force qui résiste et ne se rend pas, qui refuse de se plier aux tentatives de mobilisation des discours moralisateurs et politiques. Face aux pressions de ces tentatives d'embrigadement, le texte poétique, par son essence pourrait-on dire, est un jeu, une façon de trouer le langage, d'y introduire ou d'en manifester la porosité. Par ces espacements, le langage, même le plus banal en apparence, retrouve sa liberté de sens : les mots sont libres de s'associer les uns avec les autres, de la façon la plus imprévisible, la plus incongrue. Ce jeu n'est pas un accessoire supplémentaire, une ressource technique de plus, une habileté d'artisan ou d'orfèvre. La liberté dans le tissu du texte fait partie du message que les auditeurs peuvent recevoir. Il fait sans doute partie également du plaisir qu'apportent les textes : ils sont libres et nous laissent notre liberté.

La poésie des chansons de Cohen est classique. Le chanteur respecte les codes les plus connus de la versification : le rythme, les rimes ou les assonances, les figures de style, la métaphore, etc. Il a mentionné lui-même les auteurs classiques avec lesquels il se reconnaît une parenté littéraire et il a confronté ses vers à l'écoute amicale et critique du poète canadien Irving Layton. Sans préciosité ni maniérisme, son écriture fait montre de la verdeur d'une parole directe et parfois crue. Elle est cependant porteuse de références parfois explicites ou parfois allusives, qui pourraient la rendre obscure pour bien des auditeurs. En particulier, cette poésie est toute imprégnée de la culture juive dans laquelle s'est formé Leonard Cohen. Il n'est pas étonnant que les auditeurs trouvent parfois que ses paroles sont *moody* et complexes, et lui-même reconnaît que certaines de ses chansons sont « difficiles » (par ex. « The Guests », « Avalanche »), qu'elles ont un côté hermétique, fermé. Il est courant d'entendre dire que ses textes sont *multilayered*, qu'ils comportent plusieurs couches, plusieurs épaisseurs ou strates. Et qu'à travers ce feuilleté, il court encore une intertextualité plus fine : le renvoi, la référence à d'autres textes qui forment le bouillon de culture des chansons, le renvoi à des œuvres entières, comme la Torah, à des fragments, parfois à des unités de sens, comme les mots préférés de son lexique. Et quand on considère l'ensemble des chansons et des poèmes, on perçoit des séries d'interrelations entre les œuvres du chanteur. Cohen cite Cohen, sans le faire explicitement. Il se commente aussi lui-même. À partir de *Dear Heather*, dans les livrets de ses disques, le poète chanteur fait sentir le *work in progress*, le travail de la création par la reproduction de notes, de brouillons, de gribouillages, de fragments et de repentirs. Une dimension graphique vient se greffer au support des chansons. Elle prendra avec le temps de plus en plus d'importance et deviendra autonome quand les galeries d'art commenceront à organiser, sous le titre de *Drawn to Words*, des expositions de ses œuvres peintes.

Si on devait faire une distinction entre les poèmes et les chansons, il faudrait bien sûr tenir compte de la musique, dont on ne peut ignorer la force et qui marque une différence par rapport aux poèmes, ceux-ci portés par la voix seule ou par la lecture. On dira que c'est un poète qui fait appel à la musique, mais Cohen lui-même laisse entendre qu'il s'agit d'un mouvement plus profond. Il n'y aurait, dit-il, qu'un seul et même mouvement musical, un courant qui se diversifie en poèmes et en chansons. Cette musique a des caractéristiques très marquées telles que la mélodie, les instruments, les arrangements, le grain de la voix si particulière qui a vieilli en beauté au cours des années. La voix de ténor léger des premiers disques, voix souvent incantatoire, cède peu à peu la place à une voix de plus en plus grave, sombre, veloutée, bien adaptée au poids des paroles. Cette voix est saisie aujourd'hui comme étant très révélatrice de la «personne» même de Cohen, de son état de sage qui a tout vécu, tout éprouvé et tout vu.

Quant aux instruments, la guitare a toujours sa préférence; elle est son instrument de composition et d'accompagnement. Mais Cohen a aussi beaucoup travaillé avec des musiciens, des ingénieurs du son, les producteurs de ses disques qui lui ont tous apporté quelque chose. Des changements sont survenus d'un enregistrement à l'autre en fonction de l'influence, de la touche ou de la couleur personnelle de chacun de ses collaborateurs: cela s'entend dans les claviers, les synthétiseurs, la percussion, les cuivres (un groupe de mariachis joue sur «The Ballad of The Absent Mare» et sur «Un Canadien errant», *Recent Songs*, 1979), dans la *pedal steel guitar* («Dance Me»), la trompette («Halleluja»), les cors («Never Any Good»), le tambourin, etc. Avec le violon et le oud sont apparues des sonorités moyen-orientales ou méditerranéennes, l'évocation des années passées à Hydra, en Grèce. Quelque chose aussi de gitan (*gypsy*) qu'on retrouve même, comme personnage, chez le chanteur lui-même, ou chez sa femme gitane (*gypsy wife)*. Puis, au gré des tournées, certaines chansons ont évolué vers la forme de petits concertos, avec instruments solistes. Les quelques accords qui servaient autrefois d'introduction sont dépliés, la mélodie déployée par les instrumentistes.

La mise à distance

Dans le processus de communication, Leonard Cohen s'adresse à quelqu'un dans l'auditoire, de sorte que chacun se sent interpellé par ses chansons. Par ailleurs, il réussit à donner cette même impression à l'ensemble de son auditoire. Il peut sembler un peu étrange de proposer que cette proximité personnelle soit contrebalancée par une mise à distance. Non seulement Cohen est-il réservé, mais la distanciation fait partie de son art de communiquer. Le magazine *Rolling Stone* l'a comparé au dramaturge Bertolt Brecht (Simmons : 395), qui est connu pour avoir mis en place une manière de jouer, au théâtre, de façon à produire et à entretenir un effet d'étrangeté. En indiquant au spectateur : « Ceci est un jeu », la distanciation brechtienne rappelle les distances qu'il y a et qu'il faut maintenir entre le jeu et la réalité. Elle ouvre une brèche qui pourrait permettre d'articuler l'esthétique avec le politique. Cette distanciation ou cet espacement rend sa liberté à l'auditeur. Le conteur ne lui donne pas tous les détails et, surtout, il ne lui fournit pas l'interprétation de l'histoire. Cette liberté que lui laisse l'artiste, l'auditeur doit à son tour l'investir dans le processus d'échange qui a été initié par l'interprète et y contribuer en confrontant sa propre expérience au récit qui vient de lui être fait.

Déjà, dans sa poésie écrite, Cohen affirmait qu'il fallait faire preuve de sobriété dans l'expression : « Quelle est l'expression que l'époque demande ?

L'époque ne demande aucune expression. » (« Comment parler la poésie », p. 230) Et il a pris très au sérieux cette consigne, alors que la tendance va plutôt dans le sens d'émettre de plus en plus de signes convenus ou conventionnels. Bien des artistes ne cherchent pas à faire ressentir l'émotion en exprimant cette émotion, mais s'exercent plutôt à provoquer un frisson mécanique en affichant tous les signes les plus banalisés d'un sentiment artificiel. Non pas l'expression de la passion, mais les gestes, les poses, les mimiques de la passion. Non pas l'érotisme, mais les décors, les accessoires, la lingerie, les postures et les halètements qui sont autant de caricatures et de spasmes. C'est dans ce contexte-là que Cohen en appelle à un peu de retenue et affirme : « L'époque ne demande aucune expression. » Une ascèse, une sobriété : « Vous ne pouvez pas dire au public tout ce que vous savez en chaque vers d'amour que vous prononcez. Laissez la place et ils sauront ce que vous savez car ils le savent déjà. »

On comprend mieux de quoi il s'agit quand on lit ces commentaires d'Anjani Thomas qui fut à la fois collaboratrice et vocaliste sur l'album *Dear Heather* :

Quand je chante les paroles de Leonard, mon but est de ne pas surjouer l'émotion ni de l'escamoter. Parfois c'est compliqué (*tricky*) parce que le penchant naturel pour une choriste est de tirer d'une chanson tout ce qu'il y a de bon. Leonard m'a appris la retenue, à chanter moins et à laisser l'histoire se raconter d'elle-même. C'est le meilleur conseil que quelqu'un m'ait donné pour ma voix.

(An Interview with Anjani)

Et Leonard lui-même disait, à propos de la chanson très engagée « The Future » :

> c'est plein d'humour, il y a de l'ironie, il y a toutes sortes de distances de l'événement qui a rendu la chanson possible. C'est de l'art. C'est une bonne piste pour danser. Il y a même de l'espoir. Mais la source d'où vient la chanson est une situation de vie ou de mort. C'est pourquoi on est démoli à la fin.
>
> (Simmons : 390)

Par l'expression « toutes sortes de distances », il révèle clairement le type de rapport que la création artistique entretient avec l'événement circonstanciel qui l'a déclenchée. L'art demeure ancré à cette situation initiale : les auditeurs peuvent encore reconnaître que « la source d'où vient la chanson est une situation de vie ou de mort ». Toutefois, cette reconnaissance n'est pas du même type que celle qu'apporterait, par exemple, la relation de ce même événement dans un bulletin de nouvelles. La manipulation artistique est passée par là. De cet événement tenu à distance, l'artiste a su extraire quelque chose d'essentiel et de significatif. Et surtout, il a su faire passer ces composantes palpitantes par une sorte d'alchimie, sans les détruire, de façon à les faire ressentir avec plus de profondeur encore autant aux auditeurs du récit qu'aux témoins de l'action.

Dans ce contexte, on comprend la façon de faire de Cohen quand il chante ses propres chansons. Il établit et il garde toujours une certaine distance par rapport à l'histoire. Même lorsqu'il donne des détails sur les circonstances de la composition ou sur les événements de sa vie plus ou moins présents dans telle chanson, une fois qu'il commence à l'interpréter, il le fait de façon détachée, comme s'il s'agissait du texte de quelqu'un d'autre. Peut-être que son jeu de scène – ou son absence de jeu scénique – y est pour quelque chose. Il adopte une posture, avec la guitare ou au clavier, le micro dans les mains, etc., et il n'en change pas. De même pour son costume de scène. De plus, sa voix ne se donne pas les apparences d'être expressive : il ne recourt pas aux crescendos, aux effets de voix, aux trémolos. Son visage reste inexpressif – un sourire, ou une esquisse de sourire, parfois – quels que soient les épisodes racontés dans la chanson. Il ne donne jamais dans le pathos. Ces dernières années, il exploite davantage le registre grave de sa voix. Mais ce grave n'est pas spectaculaire ou dérangeant. Les auditeurs peuvent mettre cette utilisation très particulière de la voix en relation avec une esthétique, un son qu'ils associent au bouddhisme tibétain qui se caractérise par les sons gutturaux, ou à la cantilation un peu monocorde de la liturgie juive. Il contrebalance cette monotonie par une caractéristique de son style relevée par Anjani Thomas : le chanteur a une diction toujours un peu décalée du rythme des percussions, qui « déborde » (« *spills over* », dit-elle) par des anticipations ou des retards sur les temps marqués. Ce qui produit « une sensation très relaxe, qui donne exactement l'impression du jeu interactif d'une formation en direct ». (« *This gives it a very relaxed feel, just the way a live band would interact.* »)

Sage

Le grand public recherche des sages, et même un type de sage en particulier, qu'on aimerait voir investi du charisme d'un leader ou d'un messie. Plusieurs indices invitent à considérer Leonard Cohen comme un sage de ce genre, même s'il s'agit souvent d'impressions tout à fait extérieures : sa physionomie, son habillement, son comportement. Cette aspiration contemporaine peut se réclamer de la très ancienne aspiration à un gouvernement par des sages. Bien que cette utopie latente n'ait jamais trouvé sa réalisation, elle est réveillée périodiquement dans les époques troublées. Quand on évoque le sage, on pense en premier lieu au philosophe, un mot dont l'étymologie laisse entendre que celui qu'on nomme ainsi aime la sagesse, qu'il en est l'ami, l'amant peut-être. Cependant, la figure du sage ne recoupe pas complètement celle du philosophe. Elle peut même apparaître comme lui étant tout à fait opposée. À tort ou à raison, on imagine en effet le philosophe comme un spécialiste des livres, des théories, des écoles. Alors que le sage que l'on recherche serait une personne d'expérience, c'est-à-dire une personne qui a un vécu dont elle a tiré une sagesse. Cette dimension expérientielle et singulière a d'autant plus la cote qu'un discrédit frappe les philosophes contemporains jugés trop abscons, et à travers eux, c'est la philosophie elle-même qui est dédaignée.

Dire d'une sagesse qu'elle est pratique, c'est un peu une tautologie : la sagesse est toujours pratique. Une sagesse « théorique » serait une chimère, c'est-à-dire une créature qui n'a pas de réalité. La sagesse n'est pas pour autant une recette ou une collection de recettes, bien que ce soit souvent la façon dont on la présente. Elle se manifeste parfois en proverbes, en dictons tels que ceux-ci dans la chanson « Anthem » : « tu peux additionner les parties, ça ne fait pas un total », ou « des guerres, il s'en livrera encore », ou « la sainte colombe se fera encore attraper, elle sera vendue, achetée et vendue encore : jamais la colombe n'est libre ». Ces paroles sages ou proverbiales sont regroupées dans des anthologies, des manuels, et autrefois des almanachs. D'autre part, les technologies et la médiatisation fractionnent la sagesse et la distribuent en une multitude de produits de consommation. Ainsi, comme tout le reste, la sagesse se consomme : « je me mords la lèvre / j'achète ce qu'on me dit d'acheter / du dernier succès / à la sagesse d'autrefois ». De toute évidence, une consommation plus effrénée de produits dérivés de la sagesse ne rend pas plus sage : « mais je suis toujours seul / et mon cœur est de glace / et c'est encombré et froid / dans ma vie secrète » (« In My Secret Life »). Sans renier ses origines, sans s'extraire du terreau qui la nourrit, la sagesse véritable sait prendre ses distances avec l'opinion populaire, les penchants émotionnels du grand nombre dans lesquels la rumeur et les on-dit jouent pour une grande part, appuyés, amplifiés par la propagande, la publicité et la futilité du divertissement.

Quoi qu'il en soit, Leonard Cohen est indéniablement perçu comme un sage. Mais c'est une sagesse qui ne lui est pas venue facilement. Une sagesse d'expériences, c'est-à-dire d'épreuves : résultat d'affinages successifs et répétés à travers des événements durs, douloureux. L'homme a du vécu, du cuir, des rides. De la patine. Sagesse également mise à l'épreuve, donc éprouvée : Cohen en a donné plusieurs fois la preuve. Ceux qui l'ont suivi depuis ses débuts ont pu s'étonner ou s'émerveiller de cette transformation. Elle n'était pas évidente dans les premiers albums. Alors, comment Leonard est-il devenu le sage Cohen ? La voie de la sagesse passe dans la voix du sage. Et celle du chanteur s'est métamorphosée avec le temps.

> Ce livre [*Paroles du sage*, dans la Torah] est une voix basse, parfois tendue, parfois vibrante, pas celle d'un prophète, mais celle d'un Sage – une voix âgée mais virile, terrestre et non divine.
>
> (Meschonnic : 131)

Dans les premières années de sa carrière, Leonard Cohen n'avait pas une réputation de sage. Il était plutôt connu comme poète, dandy, noceur, sombre romantique. Lui-même observe de façon laconique dans les notes de *Songs of Love and Hate* : « L'expérience n'a apporté aucune sagesse. » (« *Experience has brought no wisdom.* ») Et même plus tard, quand il est revêtu de la robe des moines et qu'il a le crâne rasé, Pico Iyer peut ramasser en une seule vision des aspects encore très éclatés de la personnalité du poète : « un personnage solitaire qui descend sur la route, dans ses sombres vêtements bouddhistes, avec dans une main, la Torah et dans l'autre, la photo d'une femme » (notes de l'anthologie *The Essential Leonard Cohen*).

La figure du sage (s')est donc imposée après coup, comme un effet de relecture. Elle s'est imposée aussi quand on a appris la réaction du chanteur face au dépouillement qui l'avait frappé. Il a réagi « en sage », estime-t-on – bien que ses amis lui aient exprimé leur étonnement de ce qu'il avait été « si peu sage » en confiant toute l'administration de ses affaires à une seule personne en qui il avait une confiance aveugle. C'est dire que la sagesse dont il est question n'est pas celle qui consiste à mener aujourd'hui une vie sage, rangée et prudente, ou à en avoir mené une par le passé. Certes, dans ses tournées récentes, Cohen s'est assagi, il s'est rangé. Par la force des choses, par la force de l'âge. Il a appris cette sagesse à la dure. La tournée pour la diffusion de l'album *The Future* (1993) avait été désastreuse (Simmons : 402). Pour entreprendre les tournées mondiales à partir de 2008, il a dû s'imposer un régime qui contrastait avec ses anciennes habitudes. Il est sans doute assez peu important et quelque peu futile de savoir si Leonard est « sage » ou non dans sa vie personnelle. Ou même s'il est sage dans ses performances en spectacle ou dans les déplacements de ses tournées. L'artiste, en effet, ne se donne jamais comme un modèle à imiter. La sagesse qu'on cherche et à laquelle les publics veulent adhérer, on doit l'entendre dans ce qui passe dans ses chansons.

Le sage, en effet, n'a pas d'autre source de parole que son propre fond d'expérience. La sagesse est l'énonciation extérieure d'un long soliloque intérieur, d'une rumination, d'une jonglerie. C'est un discours autoréférentiel, à teneur poétique. S'il se tourne néanmoins vers l'autre, vers un autre, c'est souvent qu'il converse encore avec lui-même, mais avec soi comme un autre, selon l'intuition exprimée par Rimbaud : « Je est un autre. » Dédoublement de la personne, dialogue simulé, théâtral. Mise en scène fictive de situations qui semblent impliquer deux personnes. Il y en a même une troisième, cachée, incognito, comme un montreur de marionnettes. Ce personnage qui ne se montre pas, qui ne parle pas de lui (ou d'elle), qui garde le silence, est pourtant impliqué dans l'histoire qu'il raconte ou qu'il met en scène.

Le sage est calme, il rassure, conseille, dans notre conception moderne du moins, qui est celle d'une époque marquée par la recherche de thérapies. Socrate n'était certainement pas reposant ni apaisant pour ses contemporains. Le sage n'est pas un prosélyte : il ne prêche pas, il ne veut pas convertir. Il ne frappe pas aux portes le dimanche matin. Lorsqu'il chante avec véhémence « repentez-vous, repentez-vous » (« The Future »), il ne parle pas en son nom propre. Il rapporte les paroles des prêcheurs de tout acabit et, dans sa bouche, ces injonctions pressantes ont une nuance ironique.

Faut-il sous-entendre que la sagesse constitue un tournant, un virage qui apparaîtrait avec l'avancée en âge ? Sur l'album *Old Ideas*, dans « Going Home », le chanteur s'en amuse quand il se moque du personnage qu'il est devenu aux yeux de plusieurs :

> *Il dira ces mots de sagesse*
> *Comme un sage, un homme de vision*
> *Bien qu'il sache qu'il n'est vraiment rien*
> *Que la brève fabrication d'un tube.*

Sans être complètement fermé à l'idée, on n'ira pas jusqu'à dire que la sagesse est « un effet secondaire du processus de vieillissement », pour parler le jargon d'aujourd'hui. Il s'agit plutôt d'une certaine ancienneté, selon la tradition de bien des peuples, autochtones et autres, pour qui les *elders*, les anciens – et non pas les vieux – sont des sages. Sont des gens auprès de qui les plus jeunes viennent s'enquérir de la sagesse. Ces derniers ne veulent pas seulement entendre répéter le répertoire des maximes transmises par la tradition et éprouvées par la vie, ils sont surtout désireux de connaître, de goûter la sagesse personnelle de celui-ci ou de celle-là qui a transmué les événements de sa propre vie.

Peut-on y arriver sans avoir atteint un certain âge ? Dans le livre biblique *Paroles du sage*, Henri Meschonnic note qu'« un rapprochement avec l'arabe suggère la vieillesse, également incluse dans le livre ».

Chez les taoïstes, Lao-tseu, le nom de l'auteur du célèbre traité *Tao-tö king*, veut dire «le vieux», sans plus, comme si cette détermination dans le temps était garante de l'autorité de l'enseignement. Ailleurs, de façon plus respectueuse, on dira simplement «l'ancien», et de façon hyperbolique, «l'ancien des jours» dans le livre du prophète Daniel (7,9 et ss). Le sage des compilations égyptiennes adopte la figure et le rôle du père qui s'adresse à un ou à des fils en disant: «écoute mon fils les enseignements d'un père», gardant trace ainsi d'une situation courante dans la succession des générations. Cohen ne répugne pas à cette ambiance domestique: l'anthologie de poèmes et de chansons *Stranger Music* (*étrange musique étrangère*) est dédiée à son fils et à sa fille. Toutefois, bien qu'il murmure à l'oreille de ses enfants, le sage risque de ne pas trouver une écoute favorable, les enfants n'étant pas toujours ouverts aux conseils de la sagesse parentale. Ils y sont même souvent réfractaires. Le conseil donné par les parents, et qui a provoqué des hauts cris, serait-il émis par un étranger qu'il leur semblera le bon sens même ou un éclair de génie. Par ailleurs, le chanteur peut donner des conseils très étranges, voire subversifs: «je lève mon verre à l'Affreuse Vérité / que tu ne peux pas révéler aux Oreilles de la Jeunesse / sauf à dire que ça ne vaut pas un sous» («Closing Time»). Si certains voient en lui un champion de la réussite personnelle à l'américaine, il désamorce les velléités de ceux qui seraient tentés de se faire ses disciples dans l'espoir, par exemple, de devenir comme lui un *ladies' man*, un «homme à femmes» célèbre: «je n'ai jamais trouvé la fille / je ne suis jamais devenu riche / suivez-moi» (*Book of Longing*; Simmons: 460).

Selon une autre tradition, cependant, la Sagesse se présente elle-même comme femme. Ce qui devrait convenir à Leonard Cohen. Il a eu des maîtres, des hommes, mais il a surtout fréquenté des «maîtresses». Dans un premier temps, le mot garde son sens un peu vulgaire. Cependant, cette expérience érotique s'avère le laboratoire où se produit la transformation, le lieu de l'alchimie. La maîtresse se révèle une maîtresse femme, une sage-femme, telle Diotime, l'étrangère, le seul personnage féminin qui a voix à la discussion sur l'amour, dans le *Banquet* de Platon (201d et ss). Elle n'est pas là cependant, en chair et en os, c'est Socrate qui rapporte ses paroles et reconnaît qu'elle lui a enseigné ce qu'il n'arrivait pas à trouver par lui-même. Quant à la sagesse, il est vrai qu'elle est ancienne, mais ce n'est pas d'après nos calendriers terrestres, elle était déjà là à l'origine du monde, alors qu'elle jouait avec les sphères célestes.

Selon un scénario plus classique, le vieux, ou le sage, parle à des disciples qui ne sont pas ses propres enfants, qui ne vivent plus chez eux, qui ont même tout quitté pour le retrouver, le suivre et l'entendre. Ils ont abandonné leur environnement quotidien et familier. Ils sont disponibles, frais, pages blanches et oreilles ouvertes. De même ceux qui ont payé leur place au spectacle et reçoivent donc l'«enseignement» dans une communication unique, instantanée et éphémère. Et, dans une moindre mesure, ceux et celles qui ont payé pour se procurer le disque et en faire l'écoute chez eux, à volonté, aussi souvent et aussi longtemps qu'ils le veulent.

Il est donc loisible de s'accorder avec l'opinion populaire et de considérer Cohen comme l'un des porte-parole et des diffuseurs de la sagesse, dans la pluralité de ses sens et de ses traditions. Il aura sans doute ainsi corrigé les sagesses les unes par les autres : la juive par l'orientale, puis par l'indienne. Première et définitive sagesse juive qui s'exprime par des proverbes, des dictons, des aphorismes teintés d'humour juif, précisément, ou d'humour noir. Dans les interventions du chanteur, ce sens de l'humour commence à paraître davantage dans *Death of a Ladies' Man* (1977) pour continuer de se manifester de plus en plus par la suite. Les blagues juives sont parfois codées, à l'usage interne des membres de la communauté. Elles sont alors fermées, hermétiques pour le *goy*, le philistin, qui n'y comprend rien. À moins que – c'est encore plus drôle pour le Juif –, l'infidèle ne comprenne tout à l'envers ou n'entende pas à rire du tout.

On peut recueillir, dans les chansons de Cohen, des perles de sagesse, des bons mots, des formules. Pour se les mettre en mémoire, pour les apprendre et les retrouver au moment opportun, on pourrait les monter en une sorte de chapelet, semblable à ces *komboloï* que l'artiste étranger voyait les hommes grecs égrener entre leurs doigts. Autrement dit, tirer parti de ces procédés mnémotechniques qui permettent aux chansons d'être entendues comme l'expression d'une sagesse. Celle-ci s'exprime en effet par sentences, adages, proverbes, et elle emploie aussi des formules faciles à retenir, comme celles qui font appel à des combinaisons de chiffres, des listes et des énumérations. Une des interprétations possibles de «qohélet», autre titre donné à *Paroles du sage*, est «assembleur de sentences» (Meschonnic: 131). Déjà, dans «Bird on the Wire», le texte est fortement articulé par l'enchaînement des comparaisons: «*like a bird, like a drunk, like a worm, like a knight*». De façon générale, ce sont des chevilles grammaticales qui tiennent les vers ensemble, prépositions, adverbes qui articulent une démonstration, organisent le déroulement d'une histoire, exposent les arguments visant à convaincre.

Et pourtant, il faut résister à la tentation de ne prélever dans les textes de Cohen que les saillies, les bons mots, les formules bien frappées. La sagesse que colportent les proverbes, les dictons et les adages est en effet assez simple, parfois rudimentaire. C'est d'ailleurs cette simplicité qui fait sa force – et sa faiblesse. On peut faire tenir son bagage de sagesse dans quelques rudiments qui ne surchargent pas la mémoire. De plus, cette sagesse sentencieuse est si proche de l'expérience la plus quotidienne des humains que chacun en a fait, d'une façon ou d'une autre, l'expérience personnelle. Cette communauté d'expériences fait que les paroles des chansons du sage Cohen trouvent aisément un écho dans le cœur des auditeurs. Ils y reconnaissent quelque chose de leur vie. La puissance de la poésie du chanteur est de donner tout à coup un relief extraordinaire à ce qui est une banalité de la vie quotidienne, de donner un sel piquant et savoureux à ce que l'usure des jours avait rendu fade. C'est-à-dire sans valeur, précisément. Or, l'une des composantes de la sagesse est ce partage d'expériences. Je sais par quoi vous êtes passé. Je suis passé par là moi aussi. Voici ce qui m'est arrivé à moi. Certes, il y a des sages qui fuient le monde et ne veulent parler à personne. Ils ou elles souhaitent poursuivre en paix la traversée de leur expérience. Ils n'ont pas envie de partager quoi que ce soit de ce qui leur arrive. Ou bien ils se l'interdisent, au motif que ce serait une distraction de plus, du temps soustrait à ce qu'ils ont à vivre et qui leur tient plus à cœur que la rencontre d'un public attentif.

Quiconque s'intéresserait à Cohen par le biais des événements plus récents de sa biographie – séjour au monastère et documentaire d'Armelle Brusq qui en témoigne (*Leonard Cohen. Portrait: Spring 96*), photo en moine –, serait porté, sans aller plus loin, à considérer que Cohen tient sa sagesse de l'Orient, du bouddhisme zen. Ce qui est dans l'air du temps. C'est à l'Orient que le grand public est le plus porté à accorder la permanence, la pratique et la transmission d'une sagesse éternelle, que l'Occident aurait perdue dans les errements de la raison et les contraintes du capitalisme. Le sage par excellence, pense-t-on volontiers, est sans doute Confucius dont on connaît au moins quelques phrases sentencieuses. Quant au zen, il est davantage perçu comme une pratique, comme un mode de vie sage acquis et entretenu par l'exercice de la méditation. C'est une sagesse appliquée. Ce n'est pas une sagesse de paroles, ou sinon, de peu de paroles, et pas toujours compréhensibles.

Le nom de Leonard Cohen est certes associé au bouddhisme, mais de quel bouddhisme s'agit-il dans son cas? En 2012, Cohen écrit, en introduction au livre de son ami Jack Haubner, *Zen Confidential : Confessions of a Wayward Monk* : «J'ai été ordonné il y a longtemps. Peu après, mon maître m'a laissé savoir que j'étais "un moine de façade." C'était vrai. J'étais là seulement pour le costume (*the robes*).» Comme bien d'autres, sans doute, dans les années 60, il a consulté les pages divinatoires du *I Ching*. De façon plus significative, depuis 1969, l'artiste rencontre sporadiquement le maître Kyozan Joshu Sasaki Roshi, et il fait à l'occasion des sessions ponctuelles au Cimarron Zen Center de Los Angeles, puis au monastère Mount Baldy Zen Center (en périphérie de Los Angeles). Ce centre zen de tradition rinzaï avait été fondé en 1972.

La tournée de *The Future*, en 1993, avait été très difficile, désastreuse même par certains aspects. Le chanteur était passé au-delà de ce fond où les antidépresseurs, en principe, auraient dû le garder. Mais, dit-il, le plancher s'est ouvert sous mes pieds (Simmons : 417). Il vit alors une profonde dépression et, à l'automne 1994, s'installe dans sa cellule au centre zen du mont Baldy. Il va y demeurer pendant cinq ans. «J'ai entendu dire, avait-il chanté dans "Famous Blue Raincoat", que tu es en train de construire ta petite maison dans les profondeurs du désert / et que tu vis pour rien maintenant / j'espère que tu tiens une sorte de journal. » Cohen est sensible à la dimension thérapeutique du monachisme zen. Il considère que le centre est comme un hôpital pour des gens qui ont subi les traumatismes de la vie quotidienne, qui ont été blessés, détruits, malmenés. Des expressions qui lui sont chères et qui reviennent souvent dans ses chansons.

Mais il vient également au monastère pour vivre auprès de son vieux maître – Roshi est né en 1907. C'est donc un rapport d'amitié, d'amour même.

> Je pense, a dit le chanteur, qu'on approche un maître selon des conditions différentes. Si vous voulez un maître, il devient votre maître ; certaines personnes veulent un maître de discipline, et il y a des régimes très stricts pour des gens comme cela. Je m'intéressais davantage à l'amitié, alors il s'est révélé comme un ami.
>
> (Simmons : 406)

Le *roshi*, c'est le « maître », le vieil enseignant, Kyozan Joshu Sasaki. On trouve un témoignage de cette amitié dans la dédicace de *Ten New Songs* (2001) : « Sharon, Leanne et Leonard dédient ce disque à notre ami Kyozan Joshu Roshi. »

Grâce à cette relation amicale, la formation zen est en quelque sorte taillée sur mesure pour l'artiste, qui garde quelques-unes de ses habitudes de vie et de travail. Le poème « Roshi » donne une idée du scénario de certaines rencontres maître-disciple : « Nous étions dans une cabane sur le mont Baldy, à l'été 77.

Nous écoutions les criquets.» (p. 217) La description du poète est évidemment ironique, voire comique. Elle tient compte des stéréotypes avec lesquels on aborde ce genre de situations et elle les renforce même. Le maître déforme le nom de son disciple, qu'il appelle «Kone». Il lui prodigue des conseils littéraires. Puisque leur entretien se déroule au son de la musique des criquets, il lui indique qu'il devrait écrire «un poème criquet». Et le poète répond qu'il a déjà fait cet exercice, il y a deux ans, dans cette même cabane, et probablement à la suite de la même injonction de son maître. «Roshi a fait sauter des tranches de porc dans de l'huile de tournesol et fait bouillir une soupe trois-minutes.» La première bouteille de Courvoisier vidée, les ascètes en ouvrent une autre, de sorte que le maître lui-même est inspiré. Dans le style des formes brèves japonaises, il improvise quelques vers sur la vie amoureuse d'un criquet :

> *Nuit sombre (dit Roshi)*
> *Le son du criquet*
> *La petite amie du criquet écoute.*

Après deux autres essais du même genre,

> *Alors, les criquets se sont tus un instant et Roshi a versé du Courvoisier dans nos verres. C'était une nuit paisible.*
> *— Ouais, Kone, a dit Roshi très doucement. Tu devrais écrire plus triste.*

(«Roshi», p. 218)

Toutefois, humour et dérision ne peuvent pas cacher ni dissimuler la dureté de la vie monastique, de la formation selon l'école rinzaï, qui privilégie une approche très physique du zen. « Les gens se font des idées romantiques des monastères », dit Cohen. Les exercices, les travaux, les heures de méditation créent et entretiennent une tension extrême, jusqu'à la brisure, la rupture. Ou mieux, peut-être, puisque le roseau plie mais ne rompt pas, on devrait chercher des comparaisons plus justes dans le foulage du tissu, le pétrissage du potier, les actions conjointes du feu, du marteau et de l'enclume du forgeron.

Le zen affirme que chacun possède en soi ce qu'il faut pour atteindre l'illumination et que la seule réalité de l'univers est celle de la conscience ; il n'y a donc rien d'autre à découvrir que la vraie nature de sa propre conscience. La discipline du dojo n'est pas si éloignée des comportements spartiates ou martiaux. Pour arriver à la découverte de sa vraie nature, le maître impose et surveille un entraînement dur, rigoureux, quasi militaire, afin de faire passer cette compréhension dans la vie quotidienne, puisque, comme le dit un dicton : « le Rinzaï est conçu pour le Shogun », alors que l'autre école, le Soto, est « pour les paysans ». Cette dimension guerrière ne devait pas déplaire au chanteur qui s'est peint en « commandant sur le terrain » (« Field Commander Cohen »). Nous avons déjà rappelé que c'est en stratège qu'il se verrait défendre et promouvoir des valeurs, et il fait preuve de son goût de la discipline dans tous les aspects de sa vie. Dépasser l'ego, ne s'attacher à rien dans le monde, envisager l'univers avec une conscience qui réalise l'interdépendance et l'interconnectivité de toutes choses, sont des éléments fondamentaux communs au bouddhisme et à l'hindouisme. C'est en ce sens que le chanteur a pu dire à une journaliste que, depuis son séjour au monastère, il avait cessé de s'intéresser à lui-même, à sa personne. C'est là qu'il s'en est délivré, avec l'aide de Roshi.

La vie est ce qu'elle est, sans pourquoi. Il faut prendre conscience de ce fait et l'accepter : il n'y a pas d'issue, pas d'échappatoire (*no exit*). La seule « consolation », si on veut s'exprimer dans ce langage, est d'accepter qu'il n'y a pas de « consolation » et que les criquets chantent au clair de lune. La vie n'est pas affaire de consolation : elle est ce qu'elle est, elle est à vivre. La seule attitude humaine digne est d'embrasser cette condition et de passer son chemin. On entend ces consignes mises en application dans « Alexandra Leaving » : le narrateur conseille à l'amant de prendre les choses comme elles sont, de ne pas chercher à se réfugier dans des excuses qui seraient indignes de lui et d'elle.

En plus de la formation quasi militaire à laquelle il s'est soumis, Cohen s'est également familiarisé avec cette forme de sagesse orientale qui s'exprime par la pratique des koâns. Le Maître ne dispose pas que du bâton pour mener les apprentis à l'illumination. Le koân est une forme littéraire brève qui n'a pas vraiment d'équivalent en dehors de la littérature zen. En apparence, il s'agit d'une petite histoire, parfois d'une anecdote plus ou moins banale ou prosaïque.

Souvent les protagonistes y sont dépeints en situation d'apprentissage sous la direction d'un Maître. Au cœur de cette courte narration se glisse et se cache une énigme formulée par le Maître. C'est cette énigme que le disciple emporte avec lui dans sa méditation. Pas pour la résoudre, mais pour s'en imprégner ; le travail du koân, en effet, n'est pas un exercice intellectuel de compréhension ou d'explicitation. L'énigme constitue une sorte de « nuage d'inconnaissance » – selon une expression de la littérature chrétienne médiévale –, dans lequel la personne qui médite doit s'enfoncer sans chercher à « comprendre », au sens occidental de ce mot. Par son caractère énigmatique, par le genre d'attitude qu'il demande, le koân diffère des formes brèves de la sagesse populaire. Il ne se prête pas au psittacisme, à une répétition qui tourne à vide, à une morale conventionnelle qui dispense chacun d'un engagement personnel. Les fragments du poème « Roshi » qu'on a cités un peu plus haut, laissent entrevoir l'intérêt de Cohen pour cette forme d'expression. On pourrait trouver des dérivés « koâniques » chez lui, qui se combinent avec son humour juif. Le goût de l'énigme est toujours présent dans ses textes, de même que l'écriture paradoxale et le double sens.

Pendant ces années intenses de formation, le chanteur s'est assidûment exercé aux pratiques de l'expérience bouddhiste zen. Il a appris à la connaître de l'intérieur et à en vivre. Sa progression a été reconnue et marquée par son ordination comme « prêtre ». Ce courant vigoureux était venu confluer avec d'autres veines de sagesse qu'on voyait déjà courir dans les textes antérieurs à la formation reçue au centre du mont Baldy. Il y avait déjà du « sage vieillard » chez le jeune Leonard, une tendance juvénile qui s'exprimait par une mise à distance, un recul par rapport à la vie courante. Sans doute y avait-il également chez lui une certaine prédisposition à la mélancolie, à moins qu'il ne se soit agi d'une posture néoromantique – à moi, vaste monde : je te vaincrai !

Il faut quitter un instant ces points de vue élevés pour considérer une vision plus prosaïque, plus terre à terre de la sagesse. Tout compte fait, et d'après l'expérience courante de la vie en société, n'est-elle pas, bien souvent, qu'une forme de conservatisme, qu'un facteur d'inertie, sinon de résistance au changement ? La simplicité de la sagesse dans ses formes proverbiales n'est-elle pas aussi sa faiblesse, quand elle réduit trop la complexité des choses ? Elle est certes à l'usage des simples mais, parfois, elle « fait simple ».

De plus, elle est déphasée par rapport à l'actualité puisqu'elle est obtenue par un décalage, par une clarification d'expériences passées. Ce mécanisme de la mise à distance est commun au développement de la sagesse et à la pratique de l'écriture poétique. La matière de la vie courante ou la prose de la vie quotidienne sont triées, filtrées, mastiquées, fermentées. La mémoire en recueille les données, les emmagasine et les laisse reposer. Il faut du temps et, pendant que le temps passe, s'installe une certaine inaction, une abstention d'agir. Le travail qui se fait dans le creuset du temps est une décantation, une alchimie. « Ta beauté est partout / que nous avons distillée ensemble / à même nos misères. » (« J'essaie de rester en rapport », p. 142)

Or, aujourd'hui, l'actualité se vit en accéléré, le temps file. Au lieu d'être le long fleuve tranquille qui fascinait les philosophes anciens, c'est maintenant un torrent tumultueux ou des réseaux innombrables de petits ruisselets. Le temps est charcuté, découpé en infimes portions bourrées d'autant de petites et multiples activités. Est-ce dire alors que la sagesse est déphasée, décalée ? Elle pourrait l'être. Ce qui assure pertinence et durée à la sagesse de Cohen, c'est qu'elle est si fortement enracinée dans son expérience et que les paroles de ses chansons savent la traduire et la faire revivre. Les sages paroles arrivent encore tout imprégnées de leur contexte d'interprétation. Elles ne sont pas sèches, abstraites, exsangues, vides de sang et de vitalité.

La chanson « Everybody Knows » nous donne une excellente illustration de cette sagesse populaire en action. Un narrateur nous inonde de ses affirmations péremptoires, mais il demeure anonyme. Il n'est qu'un simple porte-parole, un « tout le monde », un « tout un chacun ». C'était déjà le cas dans ce fameux personnage de la Torah, nommé Qohélet, en référence à sa fonction de porte-parole ou de rassembleur de la communauté. Il recueille, collige et organise les sentences de tout le monde, puis il les diffuse et les répète. Ce caractère de porte-parole est son meilleur alibi et sa meilleure sauvegarde : ce n'est pas lui qui parle, ce ne sont pas ses opinions personnelles; il ne fait que dire tout haut ce que tout le monde pense tout bas. Ce personnage, en effet, commence souvent ses phrases par cette déclaration fameuse et sans appel: «tout le monde sait que». Que le sage et le fou ont au final le même sort: la mort, qui attend tout le monde et rend la même justice à chacun. Qu'il y a un temps pour chaque chose: enfanter, mourir, planter, arracher, tuer, guérir, démolir, bâtir, pleurer, rire, se lamenter, danser, jeter des pierres, en ramasser, étreindre et laisser aller, chercher, perdre, garder, jeter, déchirer, coudre, chuchoter, parler à voix haute, aimer, haïr, partir en guerre, faire la paix (3,1-8). Somme toute, il n'y a rien de nouveau sous le soleil. Et quand on observe bien, il est évident que tout est fumée, vapeur, brume et brouillard que la moindre brise disperse. Et le paysage qui se lève derrière celui-ci n'est qu'un nouveau décor de théâtre que le vent emportera à son tour.

Ce qui a été
est ce qui sera
et ce qu'on a fait
est
ce qu'on fera.

(Paroles du sage 1,9)

Ce que disent les uns et les autres, le va sans dire, le va de soi, la vox populi, le gros bon sens, les rumeurs, les statistiques, les sondages, toutes les formes chiffrées de la loi du plus grand nombre. N'est-ce pas se conformer à la *doxa*, à l'opinion générale, à la voix du ci-devant peuple? Bref, se couler dans le moule le plus conventionnel, et par là même, se la couler douce. Dans un sens, la sagesse populaire reviendrait à prendre les choses comme elles viennent. Et dans ce flux perpétuel, tout va et vient comme dans le jeu des échelles et des serpents : un coup de dé détermine qui va monter et qui va descendre. Même mouvement, circulaire cette fois, dans la rotation de la roue de la Fortune : « ce qui est monté descendra ». Il faut suivre le flot, laisser aller, lâcher prise, etc. Et tant mieux, à tout prendre, si ça nous coule comme l'eau sur le dos d'un canard. La suite non écrite de « *everybody knows* » est « *who cares ?* ». On s'en fout. On ne veut pas le savoir.

> *À tout sa saison*
> *Et temps pour toute chose*
> *Sous le ciel*
> *Temps pour naître*
> *Et temps pour mourir*
> *Temps pour planter*
> *Et temps*
> *Pour arracher ce qui est planté.*
>
> (*Paroles du sage* 3,1-2)

Cela plaît à tant de monde parce que c'est du connu. Cela fait partie d'un aspect de la sagesse populaire quand elle tend vers l'aveuglement volontaire. Il n'y a que du même, du pareil au même. Tout change et rien ne change. C'est un faux savoir.

Un savoir qui ne sait pas. Cela ne va donc pas sans dire. Bien au contraire : c'est dit et redit, de bien des manières et sur tous les tons. Cependant rien n'y fait, la ritournelle continue de tourner : elle conforte dans les opinions reçues et fait ainsi rempart au changement.

Face à cette somnolence généralisée, se lèvent parfois des promoteurs de la science et des éveilleurs de conscience : ceux et celles qui travaillent à faire advenir la vérité. Qui ne la considèrent pas comme un bloc bien circonscrit, un trésor enfermé dans son coffre et qu'on se passe de main en main, dans la chaîne des générations. Qui considèrent plutôt la vérité comme une tâche à accomplir, un devoir, peut-être. Étrangement, il se pourrait bien que le premier pas, la première étape de cette tâche soit la confession de l'ignorance. L'admission que ce vernis très affirmatif d'un « je sais tout sur tout », d'une connaissance universelle de tout ce qui arrive, couvre à peine des abîmes d'ignorance.

Tout le monde sait

D'une part, c'est un jeu. Il n'y a pas d'autre sens à la vie que les dés du hasard jetés par les mains de la nécessité. D'autre part, ce n'est pas un jeu : les dés sont pipés. La divinité ne serait pas seulement aveugle, mais ce serait aussi une tricheuse. La vie, c'est de la triche. Que faire alors ? Le seul recours serait la magie, et la superstition – qui est parfois de connivence avec la sagesse populaire – fait qu'on y croit encore. La magie pourrait peut-être permettre de déjouer la triche. Mais ce n'est pas sûr. C'est une chance à prendre, un risque à courir. En fin de compte, il faut tenter le coup, faire jouer un hasard contre un autre. Contre le hasard manipulé par la triche, il reste le secours d'un autre hasard, la magie d'une chance qu'on invoque en croisant les doigts derrière son dos. Est-ce une prière muette qui ne dit pas son nom? Ou un rituel, un geste machinal quasi enfantin. Un geste avant tout dérisoire, puisqu'il s'agit de sommer la chance de paraître, de la convoquer, elle à qui on ne peut pas forcer la main. «Ne force pas ta chance», dit-on communément. Mais on joue quand même le jeu.

Tout le monde sait aussi que la guerre est finie. Et que les bons l'ont perdue. Perdants pas du tout magnifiques, minables plutôt. Quel est le synonyme de «bon»? Bonasse, éternel perdant. Cela aussi était arrangé d'avance. Certes, la guerre fait encore rage en plusieurs endroits de la planète. La vieille guerre dont les humains ne se lassent pas. Elle dure et on l'endure. Le résultat est prévisible. Il est même connu depuis longtemps. Il y a assez de temps que ça dure pour qu'on en ait fait les comptes, de la guerre de mille ans. Sur deux colonnes, les actifs et les passifs inscrits en rouge sang, le total est toujours le même. Les bons gars ont perdu. Certes, on voudra chipoter sur des détails, examiner à fond des cas particuliers. Des séries télévisées vont exhumer les archives les plus secrètes, on va mettre de la couleur aux images en noir et blanc, des figurants vont reconstituer les scènes sur les lieux mêmes, etc. On essaie tant de re-créer, de re-constituer qu'il finirait par être plausible d'envisager que la guerre n'aura jamais eu lieu. Rien n'y fait, cependant. Il ne s'agit pas seulement de la moyenne qu'on peut tirer de la comptabilité des conflits. Il s'agit d'une constatation: cette guerre-ci terminée, une autre commence. De sorte que la guerre n'en finit pas, n'en finit jamais. Le temps d'une paix n'est qu'une pause entre deux conflits. D'ailleurs, aujourd'hui, dans un contexte global, il n'y a plus de pauses. La guerre est chronique, comme un feu de brousse qui s'est alangui ici pendant qu'il reprenait là-bas. Et c'est pour cette raison que les bons gars ont perdu et ne cessent de perdre. Ils n'arrivent pas à trancher les têtes de l'hydre.

L'exemple de la guerre est celui d'un cas extrême. Mais le conflit, le *polemos* – ainsi que l'ont nommé il y a très longtemps les philosophes grecs –, se joue plus modestement dans l'ordinaire et le quotidien. Appelons cela la lutte des classes, si l'on veut. La lutte des pauvres pour en avoir autant, à peu près, que les riches. Ça aussi, c'est arrangé d'avance. Le pauvre reste pauvre, le riche s'enrichit encore plus. Si par hasard il y a une permutation, un saut de case, si un pauvre saute de sa classe dans celle des riches, il oublie aussitôt la position qu'il tenait auparavant. Le voilà nouveau riche. Il augmente les statistiques des enrichis. Et dans le même mouvement, comme un changement de joueurs dans une équipe, un nouveau pauvre – parfois tout un groupe – saute à sa place sur la glace de la pauvreté. C'est ainsi, et tout le monde le sait.

Étrange paradoxe. L'affirmation «tout le monde sait» ou «tout le monde le sait» est lancinante par sa forme répétitive et elle en devient irritante: si tout le monde le sait, comment se fait-il qu'il ne se passe rien? Comment se fait-il que rien n'arrive, que le monde ne soit pas meilleur, etc. Tout le monde est au courant de tout, tout le monde sait jusqu'à quel point ça va mal, et pourtant personne ne se sent (vraiment) concerné. Chacun reste sur son quant-à-soi et poursuit son petit bonhomme de chemin. Cohen constate cet état de fait plus qu'il n'invite à le changer. Il le critique, en fait ressortir les dimensions contradictoires, absurdes, en jouant les vérités de La Palice les unes contre les autres. Bien plus, dira-t-il ailleurs, et de façon plus radicale, des signes furent envoyés: ils ne furent pas reçus («Anthem»). Ils furent même ignorés, sinon ridiculisés. Aujourd'hui, le narrateur d'«Anthem» dit qu'il ne peut plus marcher avec cette foule de sans-loi, alors que les assassins se sont hissés aux places les plus élevées: ces hypocrites disent bien fort leurs prières, une main sur la poitrine et l'autre sur leur magot. Mais ces prières auront un effet inattendu: suite aux provocations, au scandale des tueurs installés dans les hauts-lieux du pouvoir, un gros nuage s'est formé dont il sortira une voix forte qui menace déjà: «Ils vont entendre parler de moi» («Anthem»).

C'est dans ces circonstances dramatiques que la démocratie pourrait enfin se ressaisir. Les signes d'un sursaut ne sont pas si évidents. C'est dans l'air du temps, mais on est porté à penser que ce n'est pas pour vrai, qu'il s'agit juste d'un divertissement de plus. Cependant, l'accumulation des catastrophes et des scandales finit par déclencher quelque chose. Il se produit des événements ponctuels. Ce sont des signes, mais comment les interpréter sans contexte ? La perception d'une lézarde dans un mur, la chute de celui de Berlin, par exemple, l'illumination d'une ébriété lucide et clairvoyante et même, plus en amont, cet étrange et prophétique Sermon sur la montagne – « que je ne prétends pas du tout comprendre », dit Cohen dans « Democracy ». C'est la démocratie sans grandiloquence de la vie quotidienne, de la revendication des droits civiques, des droits des femmes, des enfants, de toutes les minorités. Elle se puise aussi au fond des puits de désappointement où s'abreuvent les femmes abandonnées et, par la grâce d'un « dieu », dans quelque désert, ici ou là.

La démocratie enfin réveillée devient un bateau, une nef : « Vogue, vogue / ô formidable Navire de l'État ! » Par quelles routes ? « En direction des Rives de l'État / une fois passés les récifs de l'Appât du gain / à travers les bourrasques de la Haine. » (« Democracy ») À la métaphore politique de la nef correspond celle de cet autre vaisseau qu'est le berceau. L'Amérique vers laquelle vogue la démocratie, où elle jettera l'ancre, est également le berceau du meilleur et du pire. Pour que la démocratie existe et s'épanouisse, il faut que le cœur se fende, s'ouvre (« *the heart has got to open* »).

Dans cette multitude qui est la démocratie, alors que les flots glissent de chaque côté de la nef, se dresse et demeure le couple amoureux. Les amants doivent enfoncer leur amour plus profondément encore jusqu'au point où, comme dans le psaume qui raconte la sortie d'Égypte, les montagnes crieront de joie tandis que la rivière pleurera. Toute la vitalité du cosmos vibre autour du couple qui s'aime, comme ces lignes de forces et d'énergie dont Van Gogh entoure les personnages de sa peinture et qui réverbèrent jusque dans le firmament.

Dans ce contexte politique, Cohen, le chanteur, prend bien soin de marquer sa distance. Comme tout un chacun, il confesse être un citoyen qui reste chez soi en tête à tête avec le petit écran. Il pousse même l'autodérision plus loin. Dans la scène précédente, un couple d'amoureux mettait toute la nature en liesse. À présent, Cohen va convoquer l'image d'une démocratie qui ne veut pas mourir, qui ne mourra pas : imputrescible en quelque sorte, comme le sont les sacs de déchets – indestructible cochonnerie. Pied de nez à l'histoire et au temps qui passe, un bouquet pousse sur ces ordures de la consommation de masse. En dépit de tout – en dépit d'elle-même, peut-être, à son corps défendant –, la démocratie arrive «au port des États-Unis», pour donner un exemple parmi d'autres – *Democracy in the USA* était le titre de travail de la production qui mènera finalement à *The Future*. Dans les meilleurs des cas, si on peut dire. Cohen établit en effet, entre la religion et la démocratie, un parallèle qui oblige à modérer les espérances. D'une part, pense-t-il, la religion a mené à la démocratie. D'autre part, l'une aussi bien que l'autre sont encore, par bien des aspects, des «idées» fantastiques, mais elles n'ont pas encore été réalisées, mises en œuvre. Elles demeurent toujours à l'état de projet, à-venir. En ce sens, dire que la démocratie «arrive» aux États-Unis, qu'elle amarre sa nef aux pieds de la statue de la Liberté, c'est une inflation verbale dont il faut saisir l'ironie. Ou la prendre au contraire dans son sens le plus littéral : elle arrive, elle est en train d'arriver. La démocratie n'existe que dans ce processus de venue sans cesse annoncée, anticipée et jamais encore accomplie.

Cohen a-t-il la sagesse pessimiste ou triste («*secret sad wisdom*»)? Il ne l'a certes pas joviale, légère, pétillante. Dans sa voix douce mais rauque et basse, on peut entendre percer une certaine lassitude. Mais c'est la lassitude d'un athlète qui n'abandonnera pas, la fatigue d'un marathonien qui continue de courir pour aller annoncer la nouvelle d'une victoire, même anticipée, même promise, à l'issue d'un combat douteux. On pourrait rapprocher cette sagesse amère d'un existentialisme à la Camus, par exemple. Ou la comparer à celle d'un Blaise Pascal. Sombre pessimisme, sous l'influence de Saturne, bile noire de la mélancolie gravée par Dürer. «J'ai surpris la noirceur en train de boire à ton verre.» («Darkness») Même dans les moments de bonheur, Cohen garde en tête les mésaventures de Job («Dieu a donné, Dieu a repris») relayées dans la sentence : «Ce que Dieu a donné, Il peut le reprendre.» De plus, ce n'est pas une sagesse tape-à-l'œil, une sagesse exhibitionniste. Bien au contraire, la sagesse est un bien caché, elle se conserve et se transmet, se chérit comme un secret délicieux, fabuleux. La sagesse n'est-elle pas une femme, l'une des nombreuses femmes qu'il a aimées ? Et, par conséquent, n'y a-t-il pas chez lui une érotique de la sagesse ?

Prophète :
ainsi parla Cohen

Leonard Cohen dit avoir affiné son héritage juif au contact de la culture zen. C'est d'ailleurs à son maître zen Kyozan Joshu Sasaki qu'il dédie le livre *Book of Mercy* (*Le livre de miséricorde*). Pour l'écrire, il s'est immergé encore davantage dans la pratique juive : port des tefillin, observation des fêtes du calendrier, lectures de la Torah, du Talmud et du *Livre de prières juives,* recherches plus ésotériques de la Kabbale.

Tout nous invite donc à emprunter cette fréquentation assidue du judaïsme comme un pont entre la section précédente sur la sagesse et celle-ci sur la prophétie. Les Écritures parlent souvent du bonheur de qui consacre son temps à la lecture, à la mémorisation et à la méditation des versets de la Torah, une méditation patiente et longuement reprise. C'est un travail que les commentateurs du Moyen Âge ont comparé à une rumination, donnant ainsi à entendre ce qu'il fallait de temps et d'efforts pour goûter ce qu'il y a de savoureux et de nourrissant dans les textes sacrés. L'étymologie ne révèle-t-elle pas qu'il y a une part de sagesse (*sapientia*) dans l'acte de goûter (*sapere*)?

Alors que les gens ont tous en commun une forme ou une autre de sagesse populaire, la familiarité avec la culture religieuse de Leonard Cohen est loin d'être largement partagée par ses auditeurs et ses fans. Il est néanmoins possible que les gens y reconnaissent, même superficiellement, un facteur positif, quelque chose qui leur parle. Cohen prend acte de cet intérêt assez timide et soumet la proposition: «si on comparaît nos mythologies», d'après le titre de sa première publication (1956). À vouloir interpréter aujourd'hui cette consigne en dehors de son contexte initial, on serait porté à l'entendre dans le sens d'une sorte d'étude comparative des religions, ou encore d'une discussion de salon, d'une conversation mondaine autour d'un verre, par exemple. Une façon de socialiser, un jeu afin de mieux se connaître, comme on pourrait tout aussi bien échanger à propos de nos signes astrologiques, chinois ou autres. À notre époque de «religion à la carte», la variété de croyances ou de pratiques qu'on pense trouver chez Cohen représenterait peut-être un «enseignement», une initiation pour le grand public.

Par ailleurs – et pour le plus grand nombre –, dans ses chansons et dans ses spectacles, Cohen serait davantage un bon exemple, un bon cas de religion *sans* religion, puisqu'il ne fait jamais de références religieuses explicites et qu'il n'emprunte jamais les éléments d'un discours religieux. Alors qu'il en va autrement dans sa vie privée où il continue de célébrer certaines fêtes, d'observer certains rites, certaines pratiques auxquelles il a également initié ses enfants. Durant ses jeunes années, dans sa famille et dans son milieu, la culture religieuse était aussi banale, routinière et essentielle que peut l'être l'eau pour le poisson. Le «sans» (de «sans religion») ferait alors toute la différence, puisqu'il implique une rupture mais *dans* une certaine continuité. Cette subtilité risque d'être perdue dans l'enthousiasme de l'accueil fait au chanteur, et qui est précisément une composante forte du religieux. L'enthousiasme fraye en effet avec l'érotique et l'orgiaque, dont les forts parfums subsistent encore dans l'œuvre de Cohen. Les allusions à une vie de fêtard, éparpillées dans ses chansons, jouent sans doute pour une bonne part dans le sentiment de «communion» que les auditeurs, fêtards d'hier et d'aujourd'hui, épicuriens ou hédonistes, ressentent à son égard.

Le chanteur n'affiche donc pas d'attitude religieuse dans son comportement d'artiste sur scène. Il ne fait que transmettre ce qui est déjà inscrit dans ses chansons, et c'est beaucoup: essentiellement le judaïsme, le bouddhisme zen, un certain hindouisme pratiqué discrètement et quelques bribes de christianisme populaire déjà bien acquises dans son milieu montréalais. Les liens plus profonds avec le judaïsme sont peut-être les plus subtils. Ou les plus difficiles à saisir, étant donné qu'un bon nombre d'auditeurs n'ont pas ou peu de connaissances de la littérature biblique. Il y a sans doute des limites à ce que le public peut saisir du substrat mythologique de Cohen.

Alors que le sage murmure la plupart du temps, ruminant les paroles des Écritures et ressassant les épisodes de ses propres expériences, le prophète, lui, profère, inquiète, dérange, ordonne. Son activité vient ébranler tout ce qu'il peut y avoir de routine, d'engourdissement et d'embourgeoisement dans la pratique d'une sagesse qui ne se remet pas en question, trop assurée des acquis des générations passées et étouffée par l'opinion du grand nombre. Pour paraphraser le poète Paul Éluard, le prophète est davantage celui qui inspire que celui qui est inspiré. Et ce, même si la « bien-pensance » menace toujours de rattraper demain les contestataires d'aujourd'hui. Jacques Brel a mis en scène leur avachissement dans sa chanson « Les bourgeois » : jeunes contestataires aujourd'hui, bourgeois de demain, dans une chaîne ininterrompue.

Le prophétisme est déroutant par un autre aspect. En dépit de son enracinement dans la religion et dans les Écritures, le prophétisme semble frayer avec l'athéisme. Non par ce qu'il annonce ni par ce qu'il prévoit, mais par ce qu'il dénonce, par ce qu'il critique, par ce qu'il questionne. Parce qu'il pose la question. Cette question dût-elle, même, se retourner contre son émetteur. Job, « un homme intègre et droit, qui craignait Dieu et se gardait du mal » en fait l'expérience et en donne la démonstration. À la fin du livre qui raconte ses déboires, après des interrogatoires serrés, après des plaidoiries louvoyantes qui ont fait entendre tous les « pour » et tous les « contre » énoncés sans vergogne par la sagesse conventionnelle, la Voix tombe des hauteurs et répond à tous les pourquoi de Job par un solide et définitif « parce que ». Il ne reste plus à l'homme éprouvé qu'à rentrer dans le rang, c'est-à-dire à revenir à sa crainte de Dieu du début, mais avec une vision épurée et simplifiée de la divinité. Le prophète ne tolère pas les idoles, même si elles sont censées représenter son propre Dieu. Cohen semble adopter ce point de vue : dans ses livres, il fait imprimer « God » : « G*d » ou « Dieu » : « D**u », rendant ainsi impossible à prononcer le nom de quelque dieu que ce soit.

D'un point de vue chronologique, si la figure du sage a été associée assez tardivement à Leonard Cohen, celle du prophète lui a été accolée très tôt. Au moment où il reçoit du Gouverneur général du Canada le prix de la réalisation artistique pour l'ensemble de son œuvre (1993), son ami le poète Irving Layton dit à son sujet :

> Il vous fait penser à un [prophète] Jérémie de Tin Pan Alley [lieu mythique de la musique populaire à New York]. Il veut se battre mains nues et écraser n'importe quelles illusions que les gens peuvent continuer d'entretenir quant à l'époque dans laquelle ils vivent et quant à ce qu'ils peuvent attendre de l'avenir.
>
> (Simmons : 397)

La culture populaire associe en effet assez bien la figure du prophète au nom de Jérémie, et Brassens peut aussi l'évoquer en passant : « Pas besoin d'être Jérémie, / Pour deviner le sort qui m'est promis » (« La mauvaise réputation »). C'est que ce prophète est surtout associé aux situations catastrophiques qui l'auraient amené à écrire ses «Lamentations», dont le contexte est la première déportation de 587 avant notre ère.

Quant à Cohen lui-même, c'est plutôt à la figure du prophète Isaïe qu'il se rapporte de préférence. Il l'avait souvent fréquenté en compagnie de son grand-père Solomon, qui connaissait le livre par cœur. Ce qu'il illustre surtout dans son poème «Isaïe», c'est le caractère intempestif des interventions du prophète. Les premiers vers dépeignent en effet une situation sociale et politique qui a toutes les apparences de la paix, de la sérénité et de la prospérité. La loi et l'ordre semblent régner dans le pays et les gens de pouvoir tirent d'excellents bénéfices de la situation. De jeunes femmes gracieuses rehaussent par leur danse les célébrations liturgiques dans les temples. Elles témoignent de l'intégration harmonieuse de la religion, de l'esthétique et du divertissement. Pendant que se déroulent ces manifestations, belles et inoffensives, les puissants peuvent vaquer à leurs bonnes affaires.

> *Gouverner se faisait en des palais.*
> *Les juges, faisant leurs fortunes aux lois,*
> *couchés et cosmopolites, célébraient la raison.*
>
> («Isaïe», p. 52)

C'est dans ce contexte en apparence paisible et prospère que «ce fou d'Isaïe» hurle que le pays est ravagé. Pourquoi? Avant tout parce qu'il a été «choisi». C'est ainsi que, «plongé en un amour indicible / Isaïe

erre, choisi, titubant le long des murs de sculptures ».
Il s'élève même dans les airs, comme un hassid dans
une peinture de Chagall, « il tournoie au-delà des
nuages des clochers et des dômes ». D'ailleurs il ne
s'agissait pas, dans ce poème, du personnage historique, situé en son temps, mais de l'écrivain inspiré
tel qu'il revivait dans ses textes, proférés dans la
synagogue, par « la langue du cantor ». Une fois la
liturgie terminée, « toutes pages désertes », les fidèles
reprennent contact avec leur vie quotidienne, « leur
agonie silencieuse ». Et pourtant, quelque chose a
changé par la force de ces anciennes paroles reprises
dans un contexte moderne. Isaïe a fredonné douce-
ment « un son qui rendrait son innocence au pays
coupable ». Le miracle de la prophétie, c'est d'avoir
rendu les hommes « dévastés, esseulés », sensibles
à « la seule beauté » qui leur révèle leur vrai visage.
Le poème de Cohen approche de façon poétique la
fonction prophétique et la carrière exemplaire du
plus célèbre des prophètes. De la même manière
que le peintre russe, il propose un prolongement, un
écho, une transposition de la force de la prophétie
dans la force de changement dont l'art serait porteur.
Il y a du prophétique dans l'art et de l'art dans la
prophétie. La littérature des *neviim* (prophètes), dans
la bibliothèque juive, en est le point focal le plus
puissant. Certains feront remarquer avec justesse
que cette vertu prophétique et poétique anime tout
le corpus de la Torah. L'écriture de Cohen en est
inspirée, imprégnée, et elle en poursuit la pratique à
son tour.

La pointe ironique et amicale d'Irving Layton visait le pessimisme sombre qui est souvent associé aux œuvres de Leonard Cohen. En 1956 déjà, les poèmes du jeune auteur de vingt-deux ans se lisaient comme s'ils avaient été écrits par un homme beaucoup plus âgé. Pas tellement à cause des qualités de l'écriture, mais pour cette rage et ces larmes qui ne peuvent s'échapper que de la plume de quelqu'un qui a longtemps vécu, vu beaucoup de choses et perdu quelque chose de précieux. (Simmons : 51-52)

Dans plusieurs de ses chansons, le narrateur ou le conteur occupe en effet une position de témoin, et la définition du prophète correspond à cette attitude. On pourrait même dire du prophète qu'il est le témoin extrême, l'extrémiste du témoignage. Pas question pour lui de se faire valoir, de se mettre en évidence : le prophète ne parle pas de lui-même – dans les deux sens de cette expression. Il ne parle pas à son sujet, il ne parle pas de lui, de sa vie, de ses petites affaires. Plus profondément, dans la culture biblique, le prophète ne parle pas de son propre chef. Il est choisi, il est prélevé, sorti de l'anonymat de la foule. Il est mis en avant, pro-jeté. Et il est envoyé. Il « leur » est envoyé. Il sert d'intermédiaire. Il est « pris » entre deux interlocuteurs, et cette situation inconfortable, impossible à tenir, était l'une des sources des « lamentations » de Jérémie. Il ne contrôle pas le message, il le reçoit, il doit le transmettre sans rien y ajouter, sans rien en retrancher. Il ne peut pas mettre fin à cet étrange contrat pour retourner vaquer aux méditations studieuses et paisibles du sage.

Cette position de témoin chez Cohen apparaît très tôt dans l'allégorie de l'oiseau perché sur son fil («*like a bird on the wire*»), position du veilleur par excellence : placé dans un surplomb qui lui donne un grand angle de vision sur tout ce qui se passe dans les environs, en bas, chez les humains. On peut le prendre comme une figure animale du sage et du prophète, dans leur position solitaire et surélevée. C'est un observateur de ce qui se passe sur la place publique. Un commentateur, sans doute, parmi ses compères et commères, comme autant de jaseurs de bonnes et de mauvaises nouvelles. Comme autant d'inventeurs de rumeurs folles, en dépit de ce qu'ils voient de leurs propres yeux, du haut de leur poste d'observation privilégié. Commérage, potinage, toujours le même ressassé sans fin. Mais les oiseaux, justement, chantent à l'aube de chaque jour et transmettent sans se lasser le même message : «recommence / les ai-je entendu dire» («Anthem»). Cet appel au recommencement quotidien est lui-même une consigne de sagesse : «Ne t'attarde pas à ce qui est déjà passé, ni à ce qui est encore à venir.»

L'oiseau sur son fil est témoin direct de ce qui se passe sous ses yeux. Le prophète, lui, ne témoigne pas uniquement ou nécessairement de ce qu'il voit. Il transmet ce qu'on lui a dit de dire, il agit comme le facteur qui livre la parole qu'on lui a provisoirement confiée, mais qui est adressée comme une lettre à quelqu'un d'autre. C'est le scénario d'ouverture de la chanson «Amen» :

Dis-moi encore
Quand je suis allé à la rivière
Et que j'ai étanché ma soif
Dis-moi encore
Nous sommes seuls et j'écoute
J'écoute si fort que cela fait mal
Dis-moi encore
Quand je suis net et sobre
Dis-moi encore
Quand j'ai vu à travers l'horreur
Dis-moi encore
Dis-moi de nouveau et de nouveau
Dis-moi alors que tu me veux
Amen.

On peut se demander si ces paroles sont réellement adressées à Dieu? Est-ce qu'il ne s'agit pas plutôt d'un dialogue entre deux amoureux? La suite du texte montre que non. Les circonstances auxquelles il est fait allusion sont trop graves et peuvent évoquer en filigrane les camps de concentration: des victimes qui chantent, une vengeance qui appartient au Seigneur, la crasse du boucher lavée par le sang de l'agneau, etc. C'est un dépaysement de lecture qui est assez fréquent dans les chansons de Cohen. En plusieurs occasions, l'auditeur a l'impression qu'il s'agit d'une parole envoyée dans le contexte d'un dialogue avec un interlocuteur désigné par un «tu» solennel: *thee*, comme dans l'anglais de la Renaissance, celui de la bible *King James* et de Shakespeare. Cette attitude dialogique qui s'enracine véritablement dans la Torah, et en particulier dans les psaumes, s'exprime selon des paramètres dont le philosophe Martin Buber a par la suite formulé une systématisation, dans son livre *Ich und Du* (*Je-Tu*, 1923) que le chanteur connaît. Ce type de relation peut s'étendre à tous les dialogues entre les humains mais, pour le lecteur de la Torah, son modèle ultime est celui du rapport avec le «Tu» éternel et absolu: Dieu. Toutefois, l'émetteur du message adressé au témoin ou au prophète ne se fait pas nécessairement connaître de façon si explicite. Parfois il est même invoqué comme étant le «Sans-Nom». Cohen aime laisser flotter un doute quant à son identité.

> *Et je ne sais pas vraiment qui m'a envoyé*
> *Pour élever ma voix et dire:*
> *Que les lumières dans la Terre d'abondance*
> *Brillent sur la vérité, un jour.*
>
> («The Land of Plenty»)

Il se peut que la parole dite ne vienne pas d'un interlocuteur divin, mais elle vient tout de même d'ailleurs et elle vient de haut – ou d'en haut. Les cieux dans les tableaux de Chagall sont peuplés et il n'est pas rare que les humains eux-mêmes les fréquentent, quand ils s'élèvent dans les airs, au-dessus des maisons. Leonard Cohen fait allusion à ses «anges» quand il parle des choristes, en particulier des sœurs Webb (The Webb Sisters). Comme dans le théâtre grec, le chanteur qui joue tout à la fois le rôle de narrateur, de soliste et d'acteur principal de son propre drame, est soutenu par les choristes avec lesquelles – essentiellement des femmes – il dialogue. Et parfois, le chœur s'élargit pour englober les musiciens, qui sont comme des « anges » instrumentistes venant s'ajouter à la troupe qui réalise l'action sur scène. Autant de sources sonores, de voix, d'interlocuteurs qui modulent le monologue en dialogue puis en polyphonie. Dans ses tournées, il arrive souvent que le chanteur implique toute l'assistance dans cette mise en scène. En général, les gens entrent dans le jeu et lui lancent même des répliques improvisées auxquelles il réagit par un bon mot ou par un sourire.

Dans plusieurs cultures, la prophétie visionnaire est associée au rêve. Onirique ou hallucinatoire, il est parfois impossible de savoir quel est l'état de veille ou d'éveil du prophète au moment où « ça » lui parle. Quoi qu'il en soit, le prophète est en situation d'écoute permanente, il est aux écoutes. D'où qu'elle vienne, la parole surgit souvent comme une interpellation, une apostrophe. Un appel (*call*) : un mot complexe qui embraye vers différentes situations. Dans certains cas, c'est l'appel de l'« instance supérieure ». Ailleurs, dans la vie quotidienne, c'est l'appel de la partenaire : « J'ai pas eu beaucoup d'amour encore / mais ç'a toujours été ta décision. » (« *I ain't had much loving yet / But that's always been your call.* ») (« Darkness ») Un appel qui n'en est pas vraiment un dans ce cas-ci, qui ne résonne pas dans un contexte de dialogue, mais qui est l'expression sans appel d'une décision unilatérale, arbitraire et définitive. Et, dans le contexte plus terre à terre encore de la fermeture du bar où se situe la chanson «Closing Time», le *last call*, c'est ce qui est lancé aux clients en prévision de la fermeture.

L'écrivain irlandais James Joyce, imprégné lui aussi d'une culture biblique métissée d'un catholicisme sévère, a donné une version caricaturale de cette attitude d'écoute: dans le cadre moderne de la journée de son héros, Ulysse, le prophète par excellence, le prophète des prophètes, Élie, attend de son Dieu un «coup de téléphone». Il tient pour acquis que quelqu'un parlera. Quoi qu'il en soit de la source, la qualité du prophète est qu'il entend. Il arrive qu'il (se) demande: «Qui, dois-je dire, appelle?» («Who by Fire») Et il le demande au moment de passer la communication aux destinataires de cet appel – il sait que ce n'est pas pour lui; au moment de tendre l'appareil, il s'informe, il vérifie. De quelle autorité son message doit-il se réclamer? Cohen représente donc de façon théâtrale la parole envoyée au veilleur: venant d'un en-haut indéterminé et vague, elle est la voix d'un «Tu» qui ne montre pas sa face et ne dit pas son nom de façon plus explicite. En d'autres situations la parole ne vient pas frapper le tympan de l'oreille, mais elle surgit plutôt du fond du cœur. Cependant, le poète a connu tant d'états seconds, tant de pulsions se sont combattues dans sa psyché qu'il demeure méfiant à l'égard de cette parole intérieure: «Je ne fais pas confiance à mes sentiments intérieurs / les sentiments intérieurs viennent et s'en vont.» («That Don't Make It Junk»)

Quant à la tâche qui sera confiée au chanteur, le mystérieux interlocuteur de «Going Home», qui semble disposer à sa guise de l'existence et des actions

de «Leonard», n'entend pas lui donner un lourd fardeau, une mission impossible : «Je veux l'assurer /
qu'il n'a pas un fardeau / qu'il n'a pas besoin d'avoir
une vision. » Il n'a pas à prendre d'initiative personnelle : il lui suffira de répéter ce qu'il aura entendu.
L'ordre donné est «de DIRE ce que je lui ai dit /
de répéter». Le mot «DIRE» («*SAY*») est en majuscules
pour bien mettre l'accent sur l'essentiel. Tant pis si les
gens à qui le message est envoyé le reçoivent mal. Et
le poète prophète contemporain ne connaîtra pas un
sort différent de celui de tous ses grands devanciers
d'autrefois. Ce n'est pas cela qui est important, comme
l'affirme l'émetteur anonyme : «Mais il dit ce que je
lui dis / même si ce n'est pas bienvenu / il n'a tout
simplement pas la liberté / de refuser. »

Quoi qu'il en soit des intentions de l'envoyeur (ou
de l'employeur), dans cette chanson récente, le chanteur désamorce toute grandiloquence qui pourrait
s'attacher au contexte d'une mission et même d'une
élection. Pourtant, dans le cadre de la pensée juive, le
fait d'être choisi, mis à part, est une notion fondatrice,
et Cohen ne la (re)nie pas : il l'assume au contraire et
il s'exécute, en bon soldat qu'il est. Néanmoins, il ne
prend pas au sérieux la portée de son intervention et
il ne se prend pas au sérieux lui-même quant à son
statut de messager. Cette réserve est conforme à sa
stratégie d'ensemble de mise à distance, de détache-
ment et même d'humilité.

Pour savoir plus précisément ce qui apparaît
comme prophétique dans les chansons de Leonard

Cohen, il faudrait peut-être s'attarder, dans les antho-logies, aux textes plus pointus, parfois considérés comme obscurs. On y verrait, d'une part, que la pro-phétie a une portée essentiellement politique (il en sera davantage question plus loin quand nous parle-rons du temps qui tire à sa fin) et, d'autre part, qu'il s'agit d'une prophétie qui ne se prend pas trop au sérieux. Dans tous les textes du chanteur, dans ses entrevues et même dans ses interventions pendant les concerts, il faut tenir compte de ce qu'il y a d'humour grinçant, de dérision et de cynisme. Puisque l'artiste ne prend jamais le ton du donneur de leçons, il s'agit plutôt d'une ironie qui désamorce toute posture moralisatrice. Dans ses entretiens, il utilise la figure de « tirer le tapis sous les pieds », dans le sens de produire une situation qui déstabilise, qui résout la question sans la résoudre, sans y répondre. La réponse à la question, c'est qu'il n'y a pas de question. Il s'inscrit dans cette tradition philosophique qui tente de faire comprendre au questionneur qu'il ne s'agit pas d'une question qui appellerait une réponse, mais de tout autre chose. Le demandeur est renvoyé à l'énigme de sa propre situation qu'il doit assumer dans le silence. Cette façon de faire vient d'une très longue tradition d'endurance, celle par exemple de la pratique zen des koâns. Elle n'a pas en bouche ce goût de fiel du ressentiment cynique contemporain. Chez Cohen, les perdants sont magnifiques : ce ne sont pas des geignards qui tiennent le monde entier responsable de ce qui leur arrive ou ne leur arrive pas.

Le filon de la sagesse se trouve dans plusieurs cul-tures : Leonard Cohen l'a recherchée dans le judaïsme, le bouddhisme zen et l'hindouisme, sans parler des pratiques plus alternatives et «planantes» de ses jeunes années. Quant au courant de la prophétie, on sait qu'il est davantage associé à la culture juive. Celle-ci désigne le recueil des livres qui forment les Écritures par un acronyme, *Tanakh*, qui en désigne les trois parties : la «Torah» proprement dite, c'est-à-dire la «Loi», les «Neviim», c'est-à-dire les «prophètes» et les «Ketouvim», un ensemble qui regroupe tous les autres écrits qui n'appartiennent à aucune des deux premières catégories. Bien que la littérature prophétique proprement dite se trouve dans les «Neviim», les livres qui concordent davantage avec le ton des chansons de Cohen se trouvent dans les «autres écrits». Et même dans un sous-ensemble de cinq livres, les «Meguilloth», c'est-à-dire les «rouleaux», en référence aux anciens supports des manuscrits de la Torah. Dans l'ordre de leur lecture lors de grandes fêtes – qui n'est pas leur ordre chronologique –, ce sont : *Le chant des chants*, *Ruth*, *Comme* ou *Les lamentations*, *Paroles du sage* et *Esther*.

Ces Écritures sont connues et reçues par le biais de la liturgie à la synagogue et par les célébrations en famille à la maison. Non seulement Leonard Cohen les connaît-il, mais il en a assimilé plusieurs éléments qu'il a intégrés à sa poésie et à sa vision du monde.

> *Qui que ce soit qui nous tienne au cœur d'une Loi,*
> *je l'entends maintenant*
> *je l'entends qui respire*
> *tandis qu'il décore superbement nos simples chaînes.*
> («Tu vis comme un dieu», p. 114)

Il a retenu de ses lectures des épisodes qui conviennent à son style de conteur, qui lui ont permis d'en acquérir la maîtrise et dont le grand public peut encore avoir une certaine connaissance. Des scénarios, des scènes complètes, des personnages et des portraits. Le patriarche Abraham et l'histoire du sacrifice d'Isaac, à laquelle on ne peut pas échapper. Dans « Story of Isaac », Cohen la raconte à la première personne, du point de vue du garçon de neuf ans, ailleurs il en rabat la scène sur un contexte très contemporain – dans « The Butcher », qui se trouve également sur l'album *Songs from a Room*. Il ne peut pas passer sous silence non plus la transmission de la Torah à Moïse, qui demeure le plus grand des prophètes. Dans le poème « Ami, quand tu parles », il fond ensemble plusieurs éléments : l'épisode d'autrefois est mis en relation avec l'application de ceux qui étudient aujourd'hui ce qui a été légué par le prophète.

[...]

nous pouvons prendre place au Sanhédrin et décider ce qu'il faut faire avec ces grands cubes de diamants que notre maître Moïse a descendus de la montagne sur ses épaules. [...] Nous nous penchons l'un vers l'autre au-dessus de la table. La poussière se mêle à la buée, nos narines s'élargissent. Décidément, ça nous intéresse ; maintenant nous pouvons nous occuper à notre travail juif.

(p. 251)

La même posture studieuse se retrouve à la fin du poème « Mon maître » : « Quand il a été certain que jamais je ne pourrais me corriger, il m'a lancé par-dessus la clôture de la Torah. » (p. 252) Par autodérision, sous les traits du narrateur virulent de « The Future », le chanteur se décrit comme le petit Juif qui a écrit la Torah. Enfin, les allusions sont nombreuses à la sortie d'Égypte, à cette démarche exodique – la sortie d'une situation misérable vers une vie de liberté – dont il fait état dans plusieurs chansons. De façon plus explicite, il chante cette « terre d'abondance » (« Land of Plenty ») : « puissent les lumières dans la Terre d'abondance / briller sur la vérité, un jour ».

De tous les personnages bibliques, c'est avec le roi David que le chanteur entretient un lien tout particulier. D'une part, le coup de foudre du roi pour la belle Bethsabée trouve un écho dans les expériences amoureuses de Cohen. D'autre part, David et lui sont en quelque sorte « confrères » en écriture, tout comme le jeune Leonard l'était avec son grand-père kabbaliste. La tradition attribue au roi les plus beaux psaumes des « Ketouvim ». Le chanteur est imprégné de cette forme littéraire qui est la plus proche de sa propre poésie, à la fois par le contenu, l'expression des sentiments, et comme forme poétique. La très célèbre chanson « Hallelujah » s'ouvre par cette allusion transparente au roi musicien : la quarte, la quinte, les successions d'accords qui plaisaient au Seigneur, avec lesquels le roi déconcerté composait son *Hallelujah*.

Il est donc relativement facile de saisir et de faire l'inventaire de ces emprunts de grands ensembles. Il est sans doute plus difficile de discerner les allusions plus subtiles qui sont composées d'autant de fragments prélevés et tissés comme des fils de couleur dans la texture des chansons. Par exemple, le motif de la fournaise tiré du livre de Daniel. De jeunes Juifs ont refusé d'adorer la statue d'or du roi Nabuchodonosor, et ils ont été condamnés à être jetés dans une fournaise ardente. L'épisode se lit comme un petit conte : il fourmille de détails pittoresques sur l'habillement des jeunes gens, sur les efforts considérables que doivent faire les serviteurs pour chauffer la fournaise à blanc tout en évitant de se brûler eux-mêmes. Or, il n'y a aucune odeur de chair carbonisée, pas même de fumée. Au contraire, on entend les enfants qui chantent depuis le ventre incandescent où on les a jetés. Les curieux tentent de voir ce qui s'y passe, au risque d'être brûlés : les jeunes hommes sont encore tout habillés au milieu des flammes, et ils entonnent un chant de bénédiction. Cohen a fait plusieurs fois allusion à cet épisode. Il rappelle aussi bien la situation de la catholique Jeanne d'Arc menée au bûcher par les siens, que celle des Juifs condamnés aux fours crématoires dans les camps nazis ou celle d'un révolutionnaire déçu qui demande qu'on s'aventure dans cette fournaise : *« Into this furnace I ask you now to venture »* (« The Old Revolution »).

Le chanteur a également reçu de son héritage juif de grandes architectures conceptuelles quasi philosophiques ou théologiques : le temps, le jugement, l'appel, l'élection, etc. Il en sera question dans le chapitre suivant qui porte sur «les modalités affectives de l'expérience». La façon dont il a assimilé et travaillé cet héritage ressemble par certains aspects à ce que Kafka en a fait. La nouvelle «Devant la loi» est particulièrement significative à cet égard. Un personnage attend devant la porte de la loi, la Torah, qui pourtant ne s'ouvrira jamais et dont il connaîtra seulement un rayon de lumière filtrant sous la porte.

> Devant la loi se dresse le gardien de la porte. Un homme de la campagne se présente et demande à entrer dans la loi. Mais le gardien dit que pour l'instant il ne peut pas lui accorder l'entrée. [...] [l'homme] reconnaît bien maintenant dans l'obscurité une glorieuse lueur qui jaillit éternellement de la porte de la loi. [...] Le gardien de la porte, sentant venir la fin de l'homme, lui rugit à l'oreille pour mieux atteindre son tympan presque inerte : Ici nul autre que toi ne pouvait pénétrer, car cette entrée n'était faite que pour toi. Maintenant, je m'en vais et je ferme la porte.

Leonard Cohen n'ignore pas non plus les Écritures chrétiennes. Il y a dans ses chansons plusieurs allusions ou citations directes de passages du Nouveau Testament, ou de renvois à des scènes qui en sont tirées. Le thème des apôtres soudainement doués pour les langues est repris sur un ton plus léger, comique même, dans cette petite berceuse : «le vent dans les arbres / parle en langues», et puis «la souris a mangé les miettes / puis le chat la croûte / et maintenant ils sont tombés en amour / et ils parlent en langues » («Lullaby»). Le narrateur de «Anthem» dit que ce qu'il comprend du «Sermon sur la montagne» lui semble être l'une des sources de la démocratie qui arrive. Dans cette même chanson, c'est l'invitation à s'extraire du ritualisme, à renoncer même à ce que quelqu'un peut croire être une «offrande parfaite». L'offrande parfaite – et c'est encore David qui en a donné l'expression la plus juste –, n'est-ce pas un «cœur brisé», une image et une notion dont Cohen fait grand usage.

Les modalités affectives
de l'expérience

Comment se vit l'expérience, c'est-à-dire la traversée de la vie? Quelles en sont, dans les chansons de Leonard Cohen, les phases, les péripéties, les modalités affectives? N'est-ce pas avant tout une activité secrète, chacun ne tient-il pas un journal intime qu'il aurait intitulé *Ma vie secrète*? Que se passe-t-il «*in my secret life*»? On pourrait croire que tout homme et toute femme sont seuls dans leur nuit. Et s'ils se mettent ensemble pour une durée plus ou moins déterminée, chacun n'en demeure pas moins seul, enfermé, emmuré dans la solitude. La chambre où se cloîtrent les amoureux est construite à la fois de murs solides et visibles mais aussi de ces cloisons invisibles et réelles que chacun (em)porte avec soi. Petite chambre banale et quotidienne dont on se borne à faire le tour, chambre d'hôtel du voyageur solitaire, chambre anonyme, comme celle que le chanteur préfère quand il passe à Mumbai pour des sessions d'hindouisme. Ou au contraire, chambre trop ouverte et trop partagée dans une expérience collective, quasi grégaire, celle des chambres de l'hôtel Chelsea, par exemple, qui abritait une colonie d'artistes et de marginaux.

Cependant, la vie personnelle et secrète n'est pas si cachée que cela. La preuve en est que Cohen peut chanter cette chanson dans laquelle il affirme : « Voici ma vie secrète », une vie qui, par le fait même de cet aveu, n'est désormais plus un secret pour personne. Quitte à renverser complètement les règles du jeu social et à convenir qu'en effet, étant donné le déballage public généralisé, plus rien n'est privé. D'une part, les uns et les autres s'évertuent à publier, à partager avec les membres invisibles de cette étrange communauté sans communauté les menus faits de leur existence très ordinaire. D'autre part, on nous apprend que les vies personnelles sont espionnées par les agences des gouvernements et par les bureaux des multinationales devant lesquelles ne tient aucun pare-feu. Chacun vit dans une maison de verre. C'est le contexte et l'esprit de la chanson « Everybody Knows ».

Pourtant, il faut convenir que l'étalage du secret d'une vie ne peut jamais dire tout ce qu'il y aurait à en dire. Ne peut jamais *le* dire de toute façon. Non seulement parce que les mots sont impuissants ou parce que la pudeur applique un frein qu'aucun sans-gêne ne peut relâcher – quoique des manifestations exhibitionnistes débridées peuvent toujours nous surprendre –, mais plutôt parce que du secret, il en reste toujours, en dépit de tout ce qui est déballé sur la place publique. Non seulement est-ce parce qu'il y a du secret – quelque chose qu'on sait, mais qu'on ne voudrait pas répandre au dehors –, mais surtout parce qu'il y a – toujours – de l'insu. Ce qui, pour tout sujet, même en tête à tête avec lui-même, demeure une part, une chambre inconnue. D'où la cruauté indiscrète d'un certain amour qui exige : « dis-moi tout ». Ou bien, pire encore : « je sais que tu ne me dis pas tout », comme si l'interrogateur connaissait déjà ce qui reste encore à (faire) avouer. Dégorger, rendre gorge. Confesser. La seule attitude possible serait de répondre : « effectivement, amour, comment pourrais-je te dire ce que j'ignore moi-même de moi-même, ce que j'ignore à mon propre sujet. J'ai en moi un secret si profond qu'il se garde lui-même. Je n'en ai pas la clé, je n'en sens même pas la présence. Il est en moi, comme il y en a un en toi. »

Que faire de la solitude ? S'en faire « presque une amie / une douce habitude » comme le chantait Georges Moustaki ? Il semble que Leonard Cohen, lui, porte sa solitude avec lui partout où il va, même sur scène. Dans son costume qui le cintre et l'isole, abrité sous son chapeau Fedora. Seul d'abord, et puis, seul avec d'autres. C'est une métamorphose dans la continuité du personnage de ses jeunes années, alors qu'il avait toutes les apparences et les charmes de la mélancolie. Vêtu de velours sombre, un pli un peu amer aux lèvres, il était, comme l'écrivait Gérard de Nerval, « El Desdichado », le « malheureux » :

Je suis le Ténébreux, – le Veuf, – l'Inconsolé,
Le Prince d'Aquitaine à la Tour abolie :

Ma seule Étoile *est morte, – et mon luth constellé*
Porte le soleil noir *de la* Mélancolie.

(« El Desdichado »)

Cependant, lui qui a été ainsi associé au romantisme, au vague à l'âme, au mal d'être est le même qui a également écrit : « Je n'ai pas été malheureux pendant dix mille ans. / Le jour je ris et la nuit je dors » (« Je ne me suis pas attardé dans des monastères européens »). Il y a peut-être un entre-deux, une mélancolie douce-amère. Une mélancolie à la Tchekhov, c'est-à-dire cette alternance impromptue de pleurs et d'exaltation qu'il rapporte aux changements d'humeur de sa mère Masha. Mais c'est la mélancolie légère de la vie quotidienne, d'une certaine « ordinaritude », alors que « trois sœurs », par exemple, parlent des problèmes de tout un chacun. Cette légèreté de l'être est assez supportable. Dans ces vers, il fait même l'éloge de l'esseulement (*loneliness*).

Béni sois-tu qui as donné à chaque homme un
bouclier d'esseulement pour qu'il ne puisse t'oublier.
Tu es la vérité de l'esseulement, et seul ton nom en
a charge. Fortifie mon esseulement que je sois guéri
en son nom, qui est au-delà de toute consolation
prononcée sur cette terre.

(« Béni sois-tu », p. 248)

Cette ambivalence dans l'appréciation de la solitude est la manifestation d'un comportement plus global : le sens de l'humour. Un humour juif dans son autodérision, son humour noir, pince-sans-rire, qui est le liant de l'humilité, de la générosité et de la bienveillance. On l'entend dans les échanges de Cohen avec son auditoire. Lors d'un passage à l'émission télévisuelle française *Le cercle de minuit* (animée par Michel Field), Cohen dit de ses chansons qu'elles sont des «plaisanteries». Même si des larmes peuvent tout aussi bien se mêler à ce rire, comme on l'entend dans le refrain de «So Long, Marianne», «rire et pleurer et pleurer et rire». Dans un petit monologue sur la «jeunesse», lors d'un concert de Londres, le chanteur dit qu'en dépit de l'âge, du temps passé au monastère, des pilules, «la bonne humeur continue de se montrer». Cette jeunesse vigoureuse et combative se présente comme l'illustration de la santé sauvegardée grâce à l'amour. Alors que le dicton affirme qu'il n'y a «pas de remède à l'amour», on voit bien que le poison est ici le remède, et c'est finalement un autre dicton qui l'emporte sur le premier: «L'amour guérit tout.»

Cet humour est possible pour quelqu'un qui ne se prend pas (trop) au sérieux. L'humilité est une valeur dont Cohen ne parle pas explicitement dans ses chansons, bien qu'elle y résonne très haut et fort. Faire état de cette force, c'est une étrange façon de présenter les choses – contradictoire même, puisque, par définition, par essence, cette valeur ne fait pas de bruit. Le propre de l'humilité est de passer inaperçue, de se faire oublier, de faire oublier qu'elle existe. Elle n'est donc bien entendue que par des auditeurs qui ont l'oreille fine et bien accordée. De façon plus superficielle, en se fiant aux apparences de la conduite publique de Cohen, les critiques et les commentateurs parlent de « classe », d'« élégance ». Mais il ne s'agit pas que d'un vernis, d'une politesse « exquise » ou de savoir-vivre. Plus profondément, il s'agit avant tout d'humilité.

La sagesse populaire dit communément que l'humilité, c'est la vérité. C'est laisser transparaître et paraître sa propre vérité. Dans ce « fragment d'un journal », le chanteur raconte comment l'exaltation de l'écriture inspirée peut se dégonfler sous la piqûre du dard de la réalité :

> *plusieurs jours plus tard, j'avais quatre laisses de huit lignes chacune, qui témoignaient que j'avais reçu le Saint-Esprit, atteint une profonde sagesse, circoncis mon âme avec le Vin de l'Amour et « m'étais accoutumé à la clémence du Seigneur ».*
>
> (« Fragment d'un journal », p. 268)

La baudruche de ce contentement de soi se dégonfle sous la piqûre du fou rire d'un ami à qui le poète a fait part de sa trouvaille : « Debout dans la mer Égée jusqu'aux genoux. Nous avons bien ri. »

Or, cette humilité de la vérité, Cohen l'a apprise à la dure. Timide au départ, trop lourdement hypothéqué par le cadeau de sa voix d'or, il a longtemps fait preuve de la gaucherie qu'il attribue à ce personnage marginal qui voudrait bien s'intégrer à l'orgie, mais qui demeure seulement le voyeur timide dissimulé dans un coin sombre («*the shy one at some orgy*», «Last Year's Man»).

Mais timidité n'est pas humilité, pas plus que politesse ou savoir-vivre. Dans ses jeunes années, il s'agissait peut-être de cette timidité qui l'a fait s'enfuir de scène, au moment de chanter «Suzanne» avec Judy Collins. Puis, avec la pratique du métier, il en a tiré cette règle de conduite: «Ne faites pas semblant d'être un chanteur adulé par un vaste et loyal public qui a suivi les hauts et les bas de votre vie jusqu'à ce moment précis.» (Garneau: 231) Ne vous prenez pas pour un autre. Avec le temps, les épreuves et la discipline, l'attitude apeurée des débuts s'est changée en humilité. Le dur apprentissage zen, qui ne ménage pas les humiliations, y a sans doute été lui aussi pour quelque chose. L'ego de Cohen, engoncé dans sa carapace dont il espérait une protection, ne pouvait pas résister aux coups de boutoir des koâns énigmatiques et souvent sarcastiques du vieux roshi Kyozan Joshu Sasaki. Cette humilité acquise et exercée journellement se double chez le chanteur d'une affabilité et d'une convivialité instaurées par la force de l'amour: «*humbled in love*». Non pas «humilié par l'amour», mais rendu humble par la grandeur d'un amour qui n'abaisse pas, mais qui élève. La juste connaissance de soi s'exprime dans la gratitude que le chanteur témoigne à ses musiciens, à ses partenaires. Elle s'accompagne de la générosité qu'il montre lors des nombreux *rappels* à la fin de ses concerts.

Puisque l'humilité ne va pas sans une perception honnête de soi-même, c'est tout aussi bien savoir se regarder dans le miroir. Il apparaît, certains jours ou à certains moments du jour, que l'image n'est pas très flatteuse. Le péché, aujourd'hui, est sans doute une notion complètement étrangère à bien des auditeurs des chansons de Leonard Cohen. Puisque ce n'est pas une notion tellement dans l'air du temps, on peut se demander en quoi ils peuvent encore y être sensibles ? Dans « Closing Time », l'injonction plusieurs fois répétée « *repent, repent* » ne semble pas trouver d'écho. Elle pourrait même avoir une nuance comique par son caractère d'urgence frelatée, comme on peut l'entendre dans certains discours outrés des télévangélistes. Les auditeurs de la chanson se demandent tout au plus ce que signifie son injonction, mis à part son aspect comique.

Dans les premiers vers de « Hallelujah », le chanteur évoque David, le roi musicien et poète. Selon la Torah, après sa relation adultère avec Bethsabée, le roi aurait composé le chant de confession le plus célèbre, le plus exemplaire, le psaume 51. L'aventure du roi était un secret bien gardé, même s'il avait donné l'ordre de faire tuer le mari de son amante en le plaçant aux premiers rangs de la bataille. Ainsi que le suggère Cohen dans un poème, n'avait-il pas déjà commis l'adultère dans son cœur quand il avait osé faire cette étrange prière : « J'ai souvent prié pour toi / comme ceci / Faites que je la possède » (« Laid à mes propres yeux »). David n'avait pas escompté que le prophète Nathan – l'incarnation de sa conscience – viendrait le trouver pour lui dire :

Je t'ai donné la maison d'Israël et de Juda; et si c'était peu, je t'en ai rajouté, çà et là. Pourquoi as-tu méprisé la parole de Dieu pour faire le mal à mes yeux? Urie, le Hittite, tu l'as frappé par l'épée. Sa femme, tu l'as prise à toi, pour femme. [...] Oui, tu m'as méprisé.

(Deuxième livre de Samuel 12,8-9)

C'est dans ce contexte que le roi, à partir d'une quarte, d'une quinte, ainsi que le chante Cohen, aurait composé son psaume de confession et de repentir:

Pitié pour moi Dieu selon ta bonté
Selon l'immensité des tendresses de ton ventre
efface mes crimes.

En entier
lave-moi de ma faute
Et de mon égarement purifie-moi
Car mon crime
moi je connais
Et mon égarement est face à moi sans cesse.

Le traducteur, Henri Meschonnic, utilise « égarement » au lieu de « péché », dans le sens d'une sortie de route, d'un dévoiement, d'une embardée dont il faut tenter de se sortir. S'il est impossible de saisir en quelques pages le sens de cet « égarement » dont il est question dans les Écritures, il est peut-être possible d'en comprendre l'importance autrement, en l'abordant par l'effet qu'il provoque et dont Cohen fait état dans plusieurs textes: la confession. Celle-ci naît du sentiment d'une faute, d'une blessure infligée à l'autre, quel qu'il soit. Ou à soi-même en tant qu'autre : « quand tu ne te sens pas "saint" / ta solitude te dit que tu as péché » (« Sisters of Mercy »). Et dans cette scène des « sœurs de la miséricorde », le narrateur raconte qu'il s'est confessé à elles (« *I made my confession to them* »), c'est-à-dire Barbara et Lorraine, endormies sur le divan, dans une chambre d'hôtel à Edmonton. Ce contexte personnalisé suggère que la confession ne s'adresse pas nécessairement à un dieu ou à Dieu. Elle s'adresse le plus souvent à la personne aimée. Dans le « j'ai péché contre toi », c'est d'elle dont il s'agit souvent. N'est-ce pas elle qui a été le plus souvent trahie, trompée, abandonnée ? Cette personne, chez Cohen, est éminemment une femme abandonnée, une amante trompée. De façon plus ouverte, aujourd'hui, cette confession se tournerait vers tout partenaire dans l'amour, quel qu'en soit le genre.

L'auditeur peut entendre cet aveu de la confession comme l'un des volets de l'ensemble complexe du : « tout le monde sait ». Certes, tout le monde le sait, et tout le monde sait à peu près tout au sujet de tous les autres, mais il reste encore à l'avouer – ce qui n'est pas la même chose que de l'admettre –, à le confesser. À confier à l'oreille de l'autre, dans le secret, que, « oui, en effet, je sais déjà ce que tu soupçonnes », et ainsi, à ne pas rechigner de mauvaise grâce jusqu'au moment inévitable de la confession après le fait. Quand il faudra admettre de façon piteuse « je le savais » ou « je le savais bien ». Dans

«Bird on the Wire», l'une des premières chansons de Cohen, la confession est subtile, nuancée, fragile ou hésitante. La reconnaissance des torts n'est pas directe; elle est conditionnelle: «si j'ai été méchant, si j'ai été menteur», et elle est suivie de la demande de pardon. Une demande qui est également faite de biais, par la bande: non pas «je te demande», mais «j'espère». De façon conséquente, le pardon aussi est particulier. Il n'est pas tout à fait l'espérance d'une rémission, d'une action qui efface ce qui a été reconnu comme un égarement. Le narrateur espère que «tu pourras tout simplement laisser passer la faute», passer par-dessus, ne pas t'y accrocher.

Si j'ai été méchant
J'espère que tu pourras juste laisser passer
Si j'ai été infidèle
J'espère que tu sais que ce n'était jamais à toi.

Si le narrateur reste assez vague dans la reconnaissance de ses fautes, c'est sans doute parce qu'il se reconnaît une condition presque chronique d'«égarement». «Comme un oiseau sur le fil» est une chanson dans laquelle Cohen utilise des comparaisons empruntées au bestiaire: l'oiseau, le ver de terre sur l'hameçon, et maintenant, dans la deuxième partie, une bête à corne indéterminée. Et c'est dès lors qu'il se compare à cette bête cornue que le narrateur reconnaît qu'il est continuellement dans une condition de destruction pathologique: «comme une bête avec sa corne / j'ai déchiré quiconque a tenté de me rejoindre ». Étant donné cette situation, on comprend mieux que le personnage se sente à la fois coupable de tout et de rien. Il reconnaît sa condition destructrice et soupçonne que, en effet, il se peut – c'est le sens des « si » qu'il utilise – qu'il ait commis des fautes envers bien des gens, sinon envers tous ceux et toutes celles qui lui ont voulu du bien. La teneur de la chanson est la recherche de la liberté. La confession intervient dans cette aspiration à la libération d'une condition attentiste – comme l'oiseau sur le fil –, à la décision d'agir et de s'engager. « Et je jure par cette chanson, dit-il, et par tout ce que j'ai fait de mal : je réparerai tout cela pour toi (*thee*, la formule d'adresse poétique à la deuxième personne).

Dans une chanson plus récente, « Anyhow », l'aveu de la faute et la demande de pardon se déroulent comme les phases d'une négociation. La situation d'ensemble est tendue. La chanson se présente comme une rêverie, un soliloque de l'amant nu et sale (*naked and filthy*), qui implore son amoureuse d'avoir pitié de lui, ou mieux de faire preuve de miséricorde : « *have mercy on me baby* ». Les torts semblent partagés – c'est toutefois l'amant qui raconte l'histoire et qui nous donne sa propre version de la situation – puisque, d'entrée de jeu, on apprend que c'est une honte, une pitié, la façon dont elle le traite, que les choses ont dégénéré au point qu'elle a fini par dire : « je ne t'ai jamais aimé ». L'amant est engagé dans une plaidoirie difficile : un peu de sueur perle à ses sourcils. Il recourt au fantasme, aux rêveries érotiques qui ont déjà eu du succès dans de meilleurs jours : « j'ai rêvé de toi, bébé / tu ne portais que la moitié de ta robe ». Mais ce n'est que de la poudre aux yeux et l'on comprend que l'amante reste de marbre. L'amant n'avoue pas directement ses fautes. Il dit plutôt qu'il les a déjà admises et confessées, bien qu'il insinue également que tous les deux, elle comme lui, sont fautifs, « de toute façon » (*anyhow*). Il a reconnu ses torts. Le vers est un peu ambigu : « *after all I did confess* » – « je me suis confessé, après tout », ou bien « après tout ce que j'ai confessé ». Quoi qu'il en soit, il reconnaît que ses efforts ne suffisent pas à lui valoir la miséricorde qu'il espère. Les amants ont sans doute, dans cette situation qui est devenue si laide, dépassé les bornes d'une bonne entente. Ils sont au-delà d'un retour possible, d'une remise de peine. L'amant en a pris bonne note. Dans son argumentation, il reconnaît qu'elle a le droit de le haïr. Sa prière est donc minimale : « Pourrais-tu me détester moins ? » Et si tu ne veux jamais me reprendre avec toi, pourrais-tu au moins me donner un peu de liberté de mouvement ? Tout compte fait, le titre de la chanson, « Anyhow », résume parfaitement le mouvement et la teneur de cette confession qui n'en est pas vraiment une. « De toute façon », c'est une formule un peu résignée qui sert à négocier et qui sert également à établir un état de fait. Ni l'un ni l'autre amant n'est réellement engagé dans un aveu d'égarement ou même dans la reconnaissance de la situation. Les choses ont pourri au point que tout est (irrémédiablement) gâché. Le fait que lui soit nu, sale et en sueur est un indice de la bataille qu'ils se sont livrée. Sur le même ton que celui de *Who's Afraid of Virginia Woolf?*, la pièce de théâtre d'Edward Albee que Richard Burton et Elizabeth Taylor avaient rendue au cinéma avec toute la violence et la goujaterie possibles.

La personne qui pardonne fait preuve de miséricorde. Le mot *mercy* s'emploie encore couramment en anglais, alors que miséricorde a une consonance terriblement désuète en français, comme dans le proverbe : «À tout péché miséricorde.» Le mot «mercy», qui existait en ancien français, ne s'utilise plus aujourd'hui que pour dire : «Je suis à votre merci.» Chez Cohen, au contraire, le mot est encore bien vivant et significatif : il revient dans plusieurs poèmes et chansons. L'écrivain lui consacre même un livre : *Book of Mercy* (*Livre de miséricorde*), qui se place, avec son *Book of Desiring* (*Livre du constant désir*), dans la série de ses livres «bibliques». Et surtout, le chanteur a donné une personnification bien concrète à ce concept essentiel dans sa chanson «Les sœurs de la miséricorde» («Sisters of Mercy»), aimables et douces bienfaitrices du bonheur de vivre.

La miséricorde de la littérature hébraïque se fonde sur une anthropologie de la féminité, qui reconnaît la puissance des entrailles, de la matrice, du ventre. Henri Meschonnic écrit que le mot «miséricorde» en hébreu a une qualité féminine et qu'il «emporte un quelque chose de viscéral». Il le traduit par «les tendresses de ton ventre», au pluriel. Le ventre de la femme d'abord, avant le cœur, puis le cœur et le ventre avant la domination de la tête sont les ressources corporelles de la miséricorde. Par cette référence au corps, un dieu miséricordieux est doté de qualités féminines.

Dans un autre contexte, il ne s'agit pas de personnes, mais d'une architecture d'accueil, les « portes de la miséricorde » (« *the gates of mercy* ») (« Come Healing »), qui devrait s'ouvrir pour accueillir quiconque a besoin d'une guérison du corps ou de l'esprit. Et finalement c'est la miséricorde définitive, le pardon ultime, dans un contexte de jubilation messianique : alors tu « laisses les rivières se remplir / les collines se réjouir / et ta miséricorde déborder / sur tous ces cœurs brûlants dans leur enfer » (« If it be Your Will »). Cette chanson commence par *if* (si), une conjonction qui exprime certes une attente, un espoir, mais un espoir teinté de réserve et de prudence. Cette avancée prudente est mise en rapport avec une instance supérieure à qui s'adresse une prière de consentement : si c'est ta volonté, si telle sera ta volonté (« If It Be Your Will ») écrite dans la lumière de la fête de Hanoukka en 1980. L'espoir craintif est adressé depuis un lieu de brisure, de cassure, une « colline brisée, rompue » (« *from this broken hill* »). Et c'est de cet abaissement que, si c'est ta volonté de me laisser chanter, toutes tes louanges sonneront à la volée, comme des cloches, ou résonneront sur les parois des montagnes. Il y a donc toujours deux versants dans cette imploration : la demande, « que ta volonté soit faite », et la restriction ou la réserve, « si, toutefois, il s'agit bien de ta volonté ».

La chanson délimite un espace intérieur dans lequel prend place le dialogue. Elle ouvre également ces dimensions restreintes au grand espace de la nature. Celle-ci n'est pas seulement un cadre, un environnement ou un décor. Elle participe à ce dialogue, elle est à l'écoute, elle vibre et elle fait écho. On peut y entendre, en filigrane, les strophes du psaume 114, « Quand est sorti Israël d'Égypte », qui exprime de façon forte et poétique l'exultation de l'exode. Dans ce texte également, la nature participe à la joie ressentie et elle l'exprime à sa façon : la mer s'enfuit, le fleuve recule, les montagnes dansent comme des béliers, les collines comme des agneaux.

Chez Leonard Cohen, la rupture et la cassure sont des états chroniques. La meule de la vie broie indifféremment les uns et les autres. Une figure de style transpose cette situation sur un instrument préféré : sur les vagues de la mer sombre et infestée, surnage à peine un banjo brisé : « il y a quelque chose que je surveille / qui a beaucoup de sens pour moi / un banjo brisé qui surnage / sur la sombre mer infes-tée » (« Banjo »). Les corps et les cœurs sont rompus, d'autres meurtris par les échardes. Le chanteur se fait le porte-parole de ces existences « cabossées ». « Ô rassemblez la cassure / et amenez-la moi mainte-nant / le parfum de ces promesses / que vous n'avez jamais osé faire. » (« Come Healing ») Les invocations et les apostrophes se poursuivent : « *O solitude of longing* », « *O see the darkness yielding* », « *O trouble dust* », « *O let the heavens falter* ». « Oh le désir des branches / de porter le petit bourgeon / Oh le désir des artères / de purifier le sang ! » Ces cassures et ces brisures sont portées dans une prière à la fois juive et chrétienne, un chant de pénitence : « Et que les cieux bredouillent / et que la terre proclame : / vienne la guérison de l'Autel / vienne la guérison du Nom / [...] vienne la guérison de l'esprit / vienne la guérison des membres. » Dans « Sisters of Mercy », le chanteur affirme que la guérison sera rendue possible par un amour gracieux, gratuit et vert :

> *Si ta vie est une feuille*
> *Que les saisons arrachent et condamnent*
> *Elles [les sœurs de la miséricorde] vont t'attacher avec*
> *   un amour*
> *Qui est gracieux et vert comme une tige.*

La beauté brisée ne peut être perçue que par quelqu'un qui aime, dont l'amour peut guérir la cassure : « Laisse-moi voir ta beauté toute cassée / comme tu le ferais / pour quelqu'un que tu aimes. » (« Take This Longing ») L'amour recueille et accueille la brisure, il en prend soin. « Et comme une bénédiction tombée du ciel / pendant quelque chose comme une seconde / j'ai été guéri et mon cœur était à l'aise. » (« Light as the Breeze ») Dans le meilleur des cas. Cette hospitalité et cette compassion n'empêchent ni les luttes, ni les combats, ni les lâchetés et les trahisons, ni tout ce qui a pu se jouer en secret dans la chambre des amants.

La chambre des amants

Les auditeurs des chansons ont accès à la chambre des amoureux, le sanctuaire de l'art de vivre selon Cohen, qui est avant tout un art d'aimer. Pour illustrer son album *New Skin For The Old Ceremony* (1974), le chanteur avait choisi une image tirée du *Rosarium philosophorum*, un traité d'alchimie du XVIe siècle. Elle représente un couple d'amants couronnés et volant dans les airs. Les biographies le rapportent: cet art d'aimer est une préoccupation constante dans la vie du chanteur. Au point où l'on pourrait dire de lui qu'il aime aimer, qu'il est toujours en état d'*aimance*. Par conséquent, les personnages de ses chansons ne peuvent pas s'en passer non plus.

D'un point de vue chronologique, on peut considérer que la chanson «Suzanne» a posé la première borne de ce long engagement sur la voie de l'amour. Elle est sans doute un commencement absolu, à la fois dans la production de l'artiste et dans l'accueil que les auditeurs lui ont réservé depuis cette époque des débuts. Une perception profondément ancrée dans cette légende dorée qui entoure le chanteur d'une aura, et à laquelle on revient sans cesse. En dépit des développements qui sont venus par la suite, alors que d'autres chansons d'amour, d'autres scénarios des relations entre hommes et femmes sont venus transformer en profondeur la première impression qu'avait laissée cette chanson.

Tout le monde a fait l'expérience, la traversée des péripéties de l'amour, sa naissance et sa croissance, ses extases, ses ruptures et ses brisures, etc. Le chanteur raconte donc à sa manière ces péripéties communes à tous les amoureux. Il confère à ces expériences, banales jusqu'à un certain point, une valeur exemplaire par les personnages qu'il crée et par les situations inédites qu'il invente. Surtout, il leur donne une vivacité prenante et inoubliable par la force de la poésie indissociable de cette narration. Dans la texture de ces petits récits, le poète glisse des conseils, évoque les apprentissages et les leçons apprises au cours de ces rencontres amoureuses. Cohen nous en fait part sur un ton très personnel, intime, quasi impudique parfois, comme il se l'est avoué à lui-même, sans doute.

Bien qu'il s'agisse toujours de l'amour « lui-même », il n'est pas simple d'en connaître tous les aspects, toutes les dimensions, de déterminer quelle est sa nature. C'est qu'il est multiple et qu'il a plusieurs visages, sinon plusieurs personnalités. L'amour est autant paré de qualités qu'il est chargé de défauts. Commençons donc par ceux-ci tels qu'ils se manifestent dans les commencements de l'idylle. Ce caractère primitif ne va pas disparaître : en s'affinant, il va se jeter dans d'autres courants et se fondre en eux. Cependant, même dans ses sublimations les plus subtiles, l'amour continuera de s'alimenter à ses sources les plus souterraines et parfois les plus sombres.

Dans un premier temps, l'amour se fait sentir comme une nécessité pour qui est un «*lover, lover, lover*», ou un «*ladies' man*», un homme à femmes. C'est une faim d'aimer qui s'exprime par la volonté d'avoir à portée de main la présence physique de la personne aimée, à la fois un désir et un besoin: «*I need you, I need you, I need you*» («The Guests»). Cette litanie se déploie autour de sa destinataire, elle l'entoure, l'enveloppe, tente de la charmer, de la convaincre, de la séduire. Il arrive que la nécessité impérieuse et impatiente soit articulée avec encore plus d'urgence en insistant sur le temps: «*I need you now*», maintenant, tout de suite. Le besoin peut se dire aussi comme une volonté, un vouloir-avoir: «je te veux, je te veux, je te veux» («Take This Waltz»). Par ailleurs, à mesure qu'il est mis à l'épreuve et que par conséquent il se raffine, l'amour reconnaît qu'il devrait n'avoir jamais à dire: «j'ai besoin de toi», pas plus que «je n'ai pas besoin de toi» («Chelsea Hotel n° 2»). Les amoureux reconnaissent aussi que la satisfaction du besoin les entraîne dans une dynamique du provisoire, au gré des satisfactions épidermiques de chacun. Leonard Cohen a repris la chanson de Frederick Knight «Be for Real», dans laquelle l'amant insiste sur le fait qu'il a assez souffert et qu'il ne veut plus être blessé, meurtri par les revers de l'amour. D'entrée de jeu il demande donc: «reviens-tu dans ma vie pour rester /

ou est-ce seulement pour aujourd'hui / que tu auras besoin de moi? («Be for Real») Alors, s'il en est ainsi, ne me donne pas le monde aujourd'hui pour le reprendre demain.

L'amour peut même se présenter comme un besoin aussi essentiel que la nourriture pour le corps. L'amant a faim d'amour – son cœur est «affamé», comme l'écrit Cohen dans un poème pour Irving Layton – et il n'hésite pas à le quémander, comme le fait un moine bouddhiste qui passe par les rues quêter son repas de la journée: j'éprouve «un frisson dans mon âme / et mon cœur a la forme / d'un bol pour demander l'aumône» («Undertow»). Il a soif aussi. Il est assoiffé d'alcool, certes, mais surtout de femmes. Il veut boire à toutes les sources de leur corps et de leur âme, leur delta, leur alpha, leur oméga, au berceau du fleuve et des mers. Une seule ne suffit pas: il faut qu'elles soient plusieurs, nombreuses. Ainsi elles se succèdent auprès du puits pour étancher sa soif, elles entrent, s'installent, illuminent et parfument la maison, la tente provisoire. Puis un jour, celle-ci part, puis cette autre et finalement, elles partent toutes. Sont-elles desséchées, épuisées par les demandes incessantes d'un amour si insatiable ou bien songent-elles qu'elles aussi ont soif d'amour et qu'elles sont lasses de toujours donner sans jamais rien recevoir en retour?

Les opinions sont partagées quant à ce qu'il faut espérer de la vie, et donc de l'amour. Les interlocuteurs fictifs de «Bird on the Wire» soutiennent deux thèses opposées. L'infirme sur ses béquilles dit qu'il ne fallait pas tant en demander. La jolie femme dans l'embrasure sombre de sa porte rétorque au contraire : «Hé! Pourquoi ne pas en demander davantage?» Pourquoi ne pas jouir à belles dents des dimensions dionysiaques de l'amour dans un beau contexte grec, limpide, celui de l'île d'Hydra par exemple? De ce qui s'offre, la vie simple, pas chère, proche de la nature : la mer, les montagnes, l'île, le ciel bleu, les maisons blanchies à la chaux. Ailleurs, c'était la vie colorée et parfumée des enfants des fleurs de la Californie, une reprise du *carpe diem* antique assaisonnée d'un petit quelque chose. L'introduction d'ingrédients de plus en plus sophistiqués propres à donner accès à des paradis artificiels a fait en sorte que le jour est devenu aussi sombre que la nuit, et la nuit plus claire que le jour. Les nouveaux arts de vivre aiguisent encore l'appétit d'amour qui se décuple dans un «ici et maintenant» exacerbé par des pratiques orientales et par les mouvements d'éveil. Dionysios n'est pas un dieu tranquille et la sérénité hédoniste n'est pas exempte de tragédie. Il s'agirait même d'un tout autre rapport. L'orgiaque survolté, enivré, drogué se rendait encore plus vulnérable à toutes les catastrophes.

Passion dévorante pour le corps affamé et assoiffé, l'amour peut également attaquer l'esprit. Dans ses exaltations, il frise la maladie mentale : ne dit-on pas de quelqu'un qu'il est «fou d'amour»? «Il a fallu que je devienne fou pour t'aimer / j'ai dû faire du temps dans la tour / supplier ma folie de me lâcher.» («Crazy to Love You») Les excès de l'amour mènent à l'esclavage. Sur *New Skin for the Old Ceremony*, la femme est la putain et la bête de Babylone. Et lui, l'amant, comme un chien fidèle : « Tu étais la pute et la bête de Babylone / Et j'étais Rintintin. » (« Is This What You Wanted ? ») À cette folie, il n'existe pas de remède : « *ain't no cure for love* ». Des filtres, peut-être, des remèdes qui sont autant de poisons : on ne sait jamais exactement ce qu'on est en train de boire. La noirceur (*darkness*), par exemple, quelle est-elle : une liqueur enivrante, épaisse, capiteuse, ou un poison puissant mais qui opère lentement et sans effets apparents ? « J'ai surpris la noirceur en train de boire à ta tasse », chante le narrateur. Mais le sens pourrait être aussi : j'ai attrapé la noirceur en buvant à ton verre. Et j'ai demandé : « C'est contagieux ? » Je n'ai pas attendu la réponse, ou je ne l'ai pas entendue. J'ai communié à ta noirceur, je l'ai attrapée. J'aurais dû en soupçonner l'existence depuis longtemps : elle était tapie au fond de tes yeux, sombre comme une flaque remuante en plein été. Et puisqu'elle m'est venue de toi, la noirceur que j'ai attrapée est encore pire que la tienne.

Sous cet aspect de l'appétit, l'amour humain est donc au centre de ces tragédies – parfois comiques – dont les péripéties sont connues. Les partenaires en présence, l'éblouissement du coup de foudre, les amours torrides, l'apparition d'un tiers menaçant et attirant, la routine, la lassitude, les tiraillements, les déchirements, les ruptures, les retrouvailles, les abandons, les trahisons. « Ç'a été facile de t'avoir : tu étais jeune, c'était l'été, je n'avais qu'à plonger. Ç'a été facile de te gagner, mais c'est la noirceur qui en était le prix. » (« Darkness ») Et les repentances, les aveux, les confessions, les demandes de pardon, les appels à la miséricorde. Et sur tous les modes d'expression : la banalité, la crudité du langage, l'humour, le cynisme, la dérision, la tragédie, le mysticisme.

L'amour est un appétit, une folie, un poison. C'est une passion dont les amants pâtissent et c'est tout naturellement qu'on le compare à un feu dévorant. Comme l'amour insatiable, le feu se nourrit lui-même et de lui-même. Cette représentation symbolique du feu amoureux joue dans l'étrange histoire de Jeanne d'Arc, comme parabole des fiançailles du feu. L'affection de Cohen pour cette héroïne et l'importance qu'il lui accorde demeurent énigmatiques. Cependant, dans le flou de ces allusions, le chanteur a fusionné des figures fortes de son art d'aimer, dans une perspective quasi éroticomystique. La pucelle d'Orléans est présente deux fois sur l'album de 1971 *Songs of Hate and Love*. Dans la chanson « Last Year's Man », l'homme de l'an passé évoque plusieurs scénarios qui ont de l'importance pour lui. Le premier qui se présente à son esprit est celui de cette femme qui joue avec ses soldats dans le noir : elle leur révèle son nom. Le narrateur, quant à lui, reconnaît qu'il n'a pas l'étoffe d'un soldat, bien qu'il ait fait un court séjour dans les troupes de Jeanne. Il la remercie de son accueil et s'apitoie sur le sort de tous ces jeunes gens qui gisent blessés à ses côtés.

C'est toutefois dans « Joan of Arc » que le drame de Jeanne d'Arc est mis en place. La première version était très simple, avec un accompagnement à la guitare et les paroles parfois simplement déclamées. Elle s'écoutait comme une ballade folk ponctuée de vocalises. Dans les reprises en spectacle, Cohen l'a mise en scène comme une petite pièce de théâtre : un narrateur fait les liens entre les scènes et entre les personnages. Les voix féminines du chœur créent l'atmosphère et interviennent, soutenues par un violon embrasé (*a burning violin*) entre chaque épisode. Dans toutes les interprétations, le chanteur accorde beaucoup d'importance à la diction du texte. Les comparaisons sont fortes, les formules bien frappées et chaque personnage a des répliques percutantes. Le narrateur présente d'abord Jeanne, seule dans la nuit noire (« *no moon, no man* ») et lasse de guerroyer : « Je suis fatiguée de la guerre, dit-elle, j'aimais mieux mon travail d'autrefois. » Elle souhaiterait aussi, au lieu de cette armure qui la fait passer pour un homme, pouvoir revêtir une robe de mariée qui habillerait son appétit dévorant. Le feu saisit l'occasion offerte par cet aveu. Il lui confie qu'il l'a observée pendant qu'elle chevauchait chaque jour et qu'il y a quelque chose en lui qui se languit de conquérir une héroïne aussi froide et aussi solitaire qu'elle.

Et Jeanne, fière et orgueilleuse dans sa solitude (*bride* rime avec *pride*), innocente aussi, saisit au vol cette offre étrange qui lui est faite. Elle s'avance d'elle-même au cœur du bûcher pour devenir la promise de cet improbable fiancé. Le feu alors peut s'élancer, la saisir et la revêtir, aux yeux de tous les invités à cette étrange noce, d'une robe de fumée et de cendres.

Le chanteur raconte les événements avec beaucoup d'émotion dans la voix. Et pendant qu'il parle, le feu a pris de l'ampleur et Jeanne peut en sentir les morsures. Elle commence à saisir que si son fiancé est le feu, c'est donc qu'elle doit être le bois «*and then she clearly understood / if he was fire, oh then she must be wood*», afin que les noces soient consommées.

Elle plisse les yeux, elle pleure, mais dans ses yeux, dit le témoin, brille également la gloire («*I saw the glory in her eye*»). C'est un mot complexe, qui exprime davantage que la gloire, telle qu'entendue communément, ou la renommée qui seront désormais attachées au nom de la pucelle d'Orléans.

> *Sur le bûcher de bois sera ma mort humaine,*
> *Et mon corps brûlera, que j'avais gardé sauf,*
> *La flamme embrasera mon corps pour la douleur;*
>
> *La foule sera là par la place, anxieuse,*
> *Entassée à mieux voir s'embraser ma chair vive,*
> *Elle regardera ma chair s'embraser vive.*
>
> (Charles Péguy, «Rouen», *Jeanne d'Arc*)

La gloire, dans le cadre quasi mystique de cette transfiguration par le feu de la guerrière en une mariée, renvoie à une certaine forme de présence du dieu. Dans les Écritures et dans la tradition juive, cette lumière est le lieu de la manifestation visible de la divinité, le rayonnement de sa *shekina*, sa présence parmi les humains. Le poète considère que Jeanne d'Arc est une mystique, une amoureuse de l'absolu.

151

Certes, elle a été livrée par les hommes de pouvoir de sa propre Église, mais, en dernière instance, comme son amoureux au Golgotha, elle s'est donnée elle-même, elle s'est abandonnée à son destin, au feu du bûcher qui est venu se joindre à son propre feu intérieur. Ces deux sources se sont alimentées l'une l'autre et Jeanne a été emportée dans la flambée de la Gloire qui l'a enlevée auprès d'Elle, dans les tourbillons de fumée et de cendres qui lui faisaient une robe de mariée. Ceux et celles qui avaient des yeux pour voir et des oreilles pour entendre ont perçu comment le politique le plus brutal, l'injustice la plus sordide étaient eux-mêmes consumés dans le bûcher qu'ils avaient embrasé. C'est la constatation effarée que fait le témoin du supplice. En dépit de sa compréhension spirituelle de ce qui s'est passé, il ne peut pas s'empêcher de se demander : « Et moi-même, je désire l'amour et la lumière : mais faut-il que ce soit si cruel, faut-il que ce soit si aveuglant ? »

La chanson « Joan of Arc » a créé cette fable mystique d'un embrasement de l'amour autour d'un personnage historique. Dans le poème « Amants », Leonard Cohen a placé cette figure de la femme amoureuse en flammes dans un contexte plus moderne, plus récent, mais également énigmatique, ou difficile à accepter : celui des fourneaux des camps.

> *Et dans la fournaise même*
> *Au plus fort du feu,*
> *Il voulut embrasser ses seins embrasés*
> *Pendant qu'elle brûlait dans les flammes.*
>
> (« Amants », p. 16)

Dans les chansons de Cohen, il y a plusieurs nuances dans les manifestations des sentiments qui expriment et qui établissent les échanges de confession, pardon, miséricorde et compassion. Certains pourront trouver que ces mots ont acquis une consonance un peu désuète par rapport aux mœurs et aux mentalités d'aujourd'hui. Pour le chanteur, cependant, ils gardent un grande valeur à plusieurs points de vue. Avant tout, ce ne sont pas des concepts abstraits ni des mots inertes. Pour lui, ils sont encore neufs et vivants parce qu'ils sont toujours enracinés dans le terreau des Écritures.

C'est le cas du sentiment de «compassion», autour duquel tourne la chanson «Heart with No Companion». Que serait un cœur sans compagnon, non seulement solitaire, mais sans amour? Quel est le sens et la portée du mot «compassion»? Quelle différence, s'il y en a une, entre compassion et miséricorde? Dans «Blessed is the Memory», par exemple, on s'interroge sur le sens de cette constatation: «le vœu de compassion dont tu as fait le serment entre tes dents». Pourquoi l'as-tu donc prononcé les dents serrées? Pourquoi était-ce si dur? Était-ce par dépit, malgré toi, à ton corps défendant, ou était-ce au contraire une résolution farouche, une détermination, l'affirmation coléreuse d'une révolte, d'un «plus jamais»? Ce premier mouvement de colère allait ensuite se détendre, se pacifier, se moduler en une attitude effective de compassion qui ne peut pas être coléreuse.

Alors que le sujet de cette interrogation est ici au singulier, la chanson «Heart with No Companion» s'adresse à une collectivité, à un groupe qui n'en est pas un, puisqu'il s'agit d'un ensemble de solitaires. Une communauté sans communauté. Cohen reconnaît tous ces individus de par le monde, et ces réfugiés passés, présents, à venir, il les salue tous, sous quelque latitude qu'ils se trouvent. «*Now I greet you*» : sa salutation est un don fait dans le temps présent, maintenant. Ce maintenant semble même avoir un lieu. On ne sait pas où exactement, mais c'est dans un au-delà, l'au-delà d'une traversée, d'une expérience, d'un passage au travers, du chagrin et du désespoir. Qui se dressaient, infranchissables comme un mur. Quand il adresse son salut, le poète est passé de l'autre côté de cette plus haute détresse : « Je vous salue maintenant depuis l'autre bord du chagrin et du désespoir, avec un amour si vaste et si éclaté qu'il vous atteindra partout. »

À ces cœurs qui sont privés de compagnon, le poète donne ce qu'il a, son chant : « and I sing ». Celui qui interpelle et qui salue, qui offre ainsi son chant et son amour, revient d'une dure traversée. C'est un revenant, un réfugié qui réapparaît après un enfermement de l'autre côté du chagrin et du désespoir. Certes, il a beaucoup à offrir : son amour est vaste, il peut embrasser des foules. Et pourtant, conformément à une thématique chère au chanteur, ce n'est pas un amour innocent, pur, originel. C'est un amour cassé, éclaté en miettes. Et c'est grâce à cette catastrophe, à cette fragmentation qu'il peut espérer que quelques-uns, quelque part, seront touchés, rejoints par ces parcelles envoyées comme autant de flèches. Avant de pouvoir offrir son amour au grand nombre, il a fallu que le revenant le rassemble à nouveau, en recueille les éclats au creux de ses mains pour les projeter vers ses nouvelles rencontres.

Ce qu'il donne n'est pourtant pas un amour de confort, une douillette et chaude affection. L'amour de compassion n'est pas statique : il ne tient pas en place, il est envoyé, projeté dans les espaces et dans les temps, comme projet d'avenir, rachat de l'Histoire, garanties données sur l'avenir. Le chanteur adresse ainsi son salut au capitaine dont le vaisseau n'est pas encore construit, à la mère dont le berceau est encore vide, au cœur sans compagnon, à l'âme sans roi, à la *prima ballerina* qui ne peut rien danser. À la fin de la chanson, cette salutation universelle prend la forme d'encouragements, de consignes, de mots d'ordre : « À travers les jours de honte qui s'en viennent, les nuits de détresse sauvage, bien que toute promesse ne compte pour rien, tu dois la garder néanmoins. » Même s'il ne devait rester de ces promesses que leur parfum. Si tout était parti dans une fumée infâme, s'il ne restait que les cendres de la robe de mariée de Jeanne d'Arc. Pourquoi ? Pour qui ? Pour que la Gloire soit présente au monde, que sa dure clarté ne cesse de briller.

Dans « Dance Me to the End of Love », le salut arrive grâce à une femme qui s'avance dans la chorégraphie d'une danse. C'est une belle femme, et l'amant l'implore de lui laisser voir sa beauté lancinante. Peut-être même serait-elle, cette femme toute nue, la beauté absolue, la beauté elle-même. Mais une beauté juste pour moi, sans témoin, dans l'intimité la plus privée. Elle danse, elle danse comme une étrangère, comme une gitane, ou comme la Sulamite du *Chant des chants* de Salomon, avec des mouvements insensés du ventre, ou selon un baladi raffiné appris dans les jardins suspendus de Babylone. Aujourd'hui, elle ne danse que pour moi, dans la pénombre de mon jardin secret, au secret de notre chambre odorante, plongée dans la pénombre.

> *Comme tes pieds étaient beaux*
> *Dans tes sandales, fille de prince.*
> *Les courbes de tes hanches semblables à des colliers*
> *Œuvre de mains d'artiste.*

> *Ton nombril, le bassin de lune*
> *Le vin clair ne manquera pas.*
> *Ton ventre un tas de blé*
> *Bordé de roses,*
> *Tes deux seins pareils à des faons,*
> *Jumeaux d'une biche.*
>
> *(Chant des chants 7,2-4)*

Un violon rouge feu, un violon ardent joue le refrain et mène l'ardeur de la danse. Il me mène à l'ardeur, à arder, à darder. Il fait jouer et jouir l'ardeur du désir. Dans cette danse, cette valse, tu me lèves, tu me soulèves, tu me fais me lever de ma chaise, tu me fais lever et bander. Nous dansons dans l'air, sur un invisible tapis volant. Nous ne portons plus à terre. Nous sommes les fiancés d'un tableau de Chagall. Je suis moi-même ce fiancé qui flotte dans les airs, au-dessus des maisons, mon bouquet de fleurs à la main, accolé à ma fiancée ou à ma jeune épousée que je tiens par la taille. Nous faisons l'expérience d'extases et de lévitations. L'amour est sens dessus dessous. Nous perdons le sens de l'orientation. Notre amour n'a plus de sens ni de bon sens. Nous nous aimons sans bon sens.

Aussi, ne t'arrête pas : fais-moi danser jusqu'aux frontières de l'amour, jusqu'aux frontières sans limites de l'amour, qui ne connaît pas de fin. S'il se trouve une « end of love », ce ne sera pas la fin, le terminus de l'amour. Cette fin ne cesse de reculer, de se déplacer : elle n'arrivera jamais et nous n'y arriverons pas non plus. Sa géographie change à mesure qu'on s'y aventure, qu'on y avance, qu'on s'y engage. Nous danserons sur le plancher d'un amour sans frontières. Si c'est possible, si cet impossible amour est possible. D'une certaine façon, d'une façon ou d'une autre. Avec ce partenaire-ci ou un autre, nous aimerons l'amour même, nous aimerons l'aimance.

Jusqu'ici, avant notre danse si chaude, ô la plus belle femme, je n'avais connu que les limites de l'amour. Que l'amour limité. Limité aux quatre murs d'une chambre. Limité aux dimensions de notre lit, trop grand, trop petit : l'un de nous deux finissait par ne plus pouvoir y tenir sans avoir à retrancher quelque chose de lui-même. Petit à petit, nous nous étions attachés par des promesses, des gages, des engagements, des contrats complexes avec des codicilles et des clauses en petits caractères. Qui ont donné lieu à des contestations, des discussions vives, des ruptures, des cassures, des séparations. Tu m'as reproché – et j'en ai fait tout autant – des promesses faites que je n'ai pas su ou pas voulu tenir. Autant de lignes, de méridiens, de frontières avec les postes de contrôles, de péages qu'impose un amour à limites. C'était l'amour à la carte, une carte du Tendre compliquée, comme dans les salons du XVIIᵉ siècle, sophistiquée, tendue de pièges, bourrée de mines.

Mais avec toi, aujourd'hui, en l'instant même de cette valse, montre-moi cela : l'amour sans fin ni frontières, fais-le moi découvrir. Explorons-le ensemble. Mais lentement, dans une valse « plus que lente », comme celle de Debussy. Je suis farouche. Je suis naufragé, rescapé, je suis un Robinson qui a quitté son île. Je suis encore sujet à la panique. Aussi, prends ton temps et donne-moi du temps. Fais-moi danser sans presse et sans fin, sans presser, vers le sans-fin de l'amour. C'est-à-dire vers l'amour sans fin, qui ne connaît pas de frontières. Il en a, certes, mais il ne les connaît pas pour l'instant, dans le moment de cette valse. Certes, il a une fin, des fins, des frontières où il se livre des guerres. Nous savons cela, toi et moi. Nous sommes passés par là, nous avons combattu, nous avons gagné, nous avons perdu. Nous sommes aguerris. Mais ici, pendant que l'orchestre joue cette valse, fais-moi danser jusqu'à la fin du monde.

Fais-moi danser jusqu'aux enfants qui veulent naître, qui veulent élargir le cercle des danseurs. Les cercles de la danse de notre amour insensé s'agrandissent, les limites se distendent comme de gros ventres ronds. Les frontières s'estompent, les digues sont sur le point de céder, les grandes eaux veulent couler. Les mains s'enchaînent sans mainmise. L'amour sans fin tournoie maintenant comme une farandole. Nous sommes plusieurs, et pourtant nous sommes seuls.

Nous nous reposons un instant dans le lieu de notre rencontre de fortune, une chambre provisoire. Je suis déjà passé par ici («*I've been here before*»), je connais cette chambre, ce plancher même. «Fais-moi danser à travers les rideaux que nos baisers ont usés à la corde / dresse une tente qui nous abrite, même si chaque fibre est tordue.» («Dance Me to the End of Love») De la toile il ne reste plus qu'une trame effilochée, transparente. Ce n'est plus l'abri odorant de notre amour au désert. Ici et maintenant, presque rien ne cache plus notre amour. Tant pis. De ce tissu usé à la corde, nous pourrons encore tirer un petit refuge, comme au moment de la fête de Soukkoth – ce jour où Dieu n'a donné qu'une seule consigne : «Tu seras seulement joyeux.» (*Deutéronome* 16,15)

Là-haut, au plafond, au-delà du plafond et au fond des cieux, peut-être une divinité surveille-t-elle nos ébats – y participe-t-elle même d'une certaine façon? Est-ce le jeune dieu grec aux yeux en amande et aux joues colorées par le vin, n'est-ce pas plutôt la colombe sacrée qui bat des ailes, remuant au rythme de mes reins qui me poussent en toi? – «Je me rappelle quand je bougeais en toi / et la colombe sainte bougeait aussi / et chaque souffle que nous respirions était un Halleluja.»

159

Dans l'état actuel de peur et d'éparpillement, «fais-moi danser à travers la panique / jusqu'à ce que je sois rassemblé en sureté». Et «rassemble-moi en toi», dans la sécurité de ton amour, de tes bras, de tes embrassements. «Enlève-moi comme un rameau d'olivier / sois la colombe qui me ramène à la maison.» («Dance Me to the End of Love») Qui est-elle, cette mystérieuse colombe? Présente dans la scène d'amour, elle palpite et roucoule au rythme des corps des amants. Elle est un gage de paix. Dans les temps fabuleux, elle a annoncé la fin de la catastrophe et l'inauguration d'une nouvelle ère. Dans un poème intitulé «La colombe», Cohen la présente encore dans le contexte de la danse : «Ne te rends pas, dit la colombe. Je suis venue faire mon nid dans ton soulier. Je veux que ton pas soit léger.» Et cet oiseau est venu vers les amants depuis les temps très lointains du déluge. «J'ai vu la colombe descendre, la colombe avec la branche verte, la colombe enfantine sortie de la tempête et du déluge.» Mais il y eut un moment d'hésitation pendant lequel le sort de l'humanité était encore indécis. Le poète oppose le corbeau à la colombe et demande que l'oiseau de l'alliance l'emporte sur l'oiseau de la malédiction.

> Et c'est au terme de quarante jours, Noah ouvre la fenêtre de l'arche qu'il avait faite. Il envoie le corbeau : il sort, il sort et retourne avant l'assèchement des eaux sur la terre. Il envoie la colombe d'auprès de lui, pour voir si les eaux se sont allégées sur les faces de la glèbe. La colombe n'a pas trouvé de repos pour la plante de sa patte.

[...]
Il languit sept autres jours. Il ajoute et envoie la
colombe hors de l'arche. Et la colombe vient vers
lui, au temps du soir, et voici une feuille fraîche
d'olivier dans son bec.

(Genèse 8,6-11 ; traduction revue)

Et finalement, c'est la colombe qui annonce
le retrait des eaux, la fin du déluge, la montée de
l'arc-en-ciel. Elle apporte dans son bec le rameau
d'olivier, le symbole de la paix : *shalom*. Elle le tend
à qui voudra bien le saisir. Toutefois, sa victoire est
fragile, provisoire. L'alliance et la paix sont toujours
remises en question. Dans « Gipsy Wife », la situation est renversée et la menace passée revient hanter
le présent : « il est trop tôt pour l'arc-en-ciel / trop tôt
pour la colombe / voici les derniers jours / voici la
noirceur, voici le déluge ». De sorte que « la sainte
colombe / n'est jamais libre » (« Anthem »), et qu'à
Vienne il se trouve même un arbre où la colombe se
pose pour mourir (« Take This Waltz »).

Au centre de tout, dans tous les cas de figures,
c'est le couple qui occupe la scène. Qui est la figure
centrale. C'est lui qui incarne l'intrigue fondamentale, celle autour de laquelle se nouent toutes les
autres. Ce couple peut certes se refermer sur lui-
même. L'amour, appétit cupide insatiable, semble
destiné à se perdre dans son propre labyrinthe, à se
prendre dans les pièges qu'il a lui-même tendus ou
même, comme Narcisse, à périr au bord de la fon-
taine qui lui renvoie son image. Il peut également se
reconnaître comme placé au centre du monde, du
cosmos même.

Ô bébé, nous ferons l'amour encore
Nous descendrons si profond que la rivière en pleurera
Et les montagnes crieront : « Amen ! »

(« Democracy »)

Cependant, le monde est peuplé de couples d'amoureux semblables les uns aux autres. Chaque amant peut dire : « Je sais que nous ne sommes pas nouveaux, neufs : dans la ville, dans les bois, il y en a d'autres qui sourient comme toi et moi. » (« Hey, That's No Way to Say Goodbye ») N'est-ce pas l'histoire même de l'humanité ?

Les détails de la relation amoureuse entre les humains peuvent même se lire dans la nature, ils sont inscrits dans le paysage. « Les horizons conservent la ligne douce de ta joue / le ciel venteux est un écrin pour tes cheveux. » (« Voyage ») Ou était-ce plutôt des collines, sinon un ravin profond ? « Mais je ne peux pas oublier où mes lèvres se sont posées / ces collines saintes, ce ravin profond. » (« Never Any Good ») « Il me poussait à l'épaule une hyacinthe sauvage et ma bouche cueillait la rosée sur tes cuisses. » (« Take This Waltz ») Tous les cours d'eau nous étaient ouverts et accueillants, « je me rappelle encore / les plaisirs que nous avons connus / les rivières et les chutes / dans lesquelles je me baignais avec toi / et là, confondu par ta beauté / je m'agenouillais pour sécher tes pieds » (« Boogie Street »). Ce contexte d'eau douce prend un autre sens quand il est élargi aux dimensions de l'océan. Envisagé dans ces horizons toujours en mouvement, parfois tumultueux, l'amour demeure, mais il change, dans un rapport semblable à celui du rivage et de la mer. Non seulement doit-il s'accommoder du va et vient, du ressac des vagues, mais il doit subir le dur et persistant travail d'érosion qui finit par changer le relief du rivage. Dans ce cadre maritime, il est inévitable d'évoquer les frictions qui jettent les partenaires les uns contre les autres, les amènent à se polir, à se donner forme mutuellement, comme les galets de la plage. Il est normal d'évoquer encore le déluge, mais dans ce contexte, il a perdu son aspect menaçant. Le déluge qui emporte, qui recouvre tout, qui renverse tous les obstacles dérisoires dressés pour le contenir, c'est le déluge de ta beauté, dit l'amant, « et je vais soumettre au déluge de ta beauté / mon violon bon marché et ma croix ».

À l'époque de l'album *Death of a Ladies' Man* (1977) – *Death of a Lady's Man* est un recueil de poèmes et de proses paru en 1978 –, Cohen pose la relation homme-femme comme une grande allégorie. Il s'agit tout autant de la relation entre Dieu et le monde que de celle entre l'écrivain et son œuvre, ses mots. Cette grande allégorie se joue selon un scénario polémique de guerre et paix, victoire et bataille, bonté passagère et fréquentes atrocités (Simmons : 311). Cohen se sert de la bataille entre les sexes pour en symboliser les différents épisodes. Les pugilistes s'infligent l'un à l'autre des blessures à l'occasion des passes d'un duel interminable. Tous les coups sont permis : fente, feinte, parade, d'estoc et de taille. Une fois qu'il a tiré au clair les exagérations de sa (fausse) réputation d'homme à femmes, le chanteur peut tourner la page.

«I'm Your Man» ouvre de nouvelles perspectives et oriente dans un autre sens le scénario de la polémique entre les sexes. Alors que l'énoncé «je suis ton homme» pourrait être encore une proclamation sur le ton du défi lancée à une adversaire, les paroles de la chanson montrent qu'il s'agit plutôt des offres de service d'un homme bon à tout faire. Cette chanson d'humour est également l'une des plus grandes chansons d'amour. Après une crise d'identité créative, Cohen décide de se servir d'un langage moins fleuri, de parler plus directement.

De quoi cet amant se sent-il capable? «Je serai, dit-il dans cette chanson, un amant d'un goût tout particulier – je porterai un masque si tu le préfères –, un partenaire, un punching-ball ou un boxeur sur le ring, un médecin (juif), un chauffeur, si tu devais t'endormir un instant sur la route, je donnerai un coup de volant à ta place. Je ferais même ce qu'un homme ne doit pas faire pour (re)conquérir une femme : je te supplierai à genoux, je ramperai vers toi, je tomberai à tes pieds. Je me comporterai comme une bête, je hurlerai à ta beauté, comme un chien en chaleur, je serrerai ton cœur dans mes pinces, je déchirerai tes draps, je dirai : "s'il te plaît, s'il te plaît". Si tu aimes mieux arpenter les rues toute seule, je vais disparaître. Je serai un père pour ton enfant, et si tu ne veux rien d'autre qu'un peu de compagnie, je marcherai avec toi sur le sable de la plage.»

La proposition «*I'm your man*» est offerte comme une sorte de carte de visite en forme de chanson d'humour, de provocation peut-être. Douceur et sexe, fêtes de l'amour, célébrations, mais aussi rappel des bons moments. Une remise en perspective. Dans *Book of Longing* (*Livre du constant désir*), le poète ironise sur sa situation : « Ma réputation d'homme à femmes, écrit-il, était une farce : elle m'a fait rire amèrement pendant les dix mille nuits que j'ai passées tout seul. » (« Titles ») C'est comme le revers de cet autre poème :

> *J'ai entendu parler d'un homme*
> *qui dit de si beaux mots*
> *il prononce seulement leurs noms*
> *les femmes se donnent à lui.*
>
> (« Poème », p. 13)

Dans la constante autodérision dont il fait preuve, le chanteur a qualifié de « farce » plusieurs des réputations qui lui ont été faites, dont celle-ci, la plus tenace et la plus ancienne, d'homme à femme, de séducteur irrésistible, sinon impénitent. Ensuite, de soldat intrépide, à La Havane et en Israël, soldat improbable en vérité, tout juste bon à poser un instant pour une photo-souvenir. Plus récente, la considération qu'on lui accorde en tant que moine zen, et par conséquent d'homme « spirituel ». Au monastère, dit-il à la blague, je suis allé « parce que j'aimais le costume » (« *I was there for the robes* »). Et ailleurs : « Je ne suis même pas un maître zen. / Je suis cet homme dans un habit d'été bleu. » (« Mon honneur »)

Dans « Because Of », le chanteur s'est amusé à se mettre lui-même en scène, en don Juan vieillissant. Les femmes éprouvent encore pour lui de la tendresse et se dévêtent volontiers pour lui faire plaisir. Mais elles lui témoignent une affection quasi maternelle.

> *à cause de quelques chansons*
> *dans lesquelles j'ai parlé de leur mystère*
> *les femmes ont été*
> *exceptionnellement bonnes*
> *envers mon grand âge.*
> *Elles réservent un lieu secret*
> *dans leurs vies occupées*
> *et elles m'y emmènent*
> *elles se mettent nues*
> *à leur manière propre*
> *et elles disent*
> *« regarde-moi, Leonard*
> *regarde-moi une dernière fois »*
> *elles se penchent sur le lit*
> *et me bordent*
> *comme un bébé qui grelotte.*

L'amante attentionnée tire le drap sur le menton du séducteur rabougri qui frissonne. Ne serait-ce pas aussi, de façon plus inquiétante, un avant-goût du linceul?

Toute l'œuvre de Cohen s'est développée sous l'emprise d'un grand mythe raconté dès les commencements de sa carrière. Par sa chanson «Suzanne», le jeune chanteur avait mis au monde une femme mythique, une sorte de déesse bienveillante et désintéressée, une gitane hospitalière qui allait désormais lui tenir compagnie.

L'œuvre est constituée de trois volets. Elle se présente donc comme un triptyque. Les premier et troisième volets parlent de Suzanne, tandis que le panneau central évoque la personne de Jésus. Un refrain sert de transition entre les épisodes de l'histoire. Le récit est mené par un narrateur, un observateur, un cinéaste peut-être qui connaît tout : les personnages, leurs paroles, leurs pensées même et les lieux dans lesquels l'action se déroule. Il s'adresse à quelqu'un, un « tu » qui serait celui qui a fait cette merveilleuse rencontre de Suzanne et il lui rappelle les circonstances de cet événement.

Un refrain identique – seuls changent les pronoms personnels –, confirme les statuts parallèles des personnages. Il s'agit de l'aspiration au voyage que « tu » voudrais faire, avec Suzanne, puis avec Jésus. Les paramètres de ce voyage à venir sont les mêmes, à quelques nuances près. La raison d'entreprendre ce voyage avec elle ou avec lui est une question de toucher. Elle, Suzanne, c'est toi qui as touché son corps parfait avec ton esprit. Quant à Jésus le marin, c'est lui qui a touché ton corps également parfait avec son esprit. Dans l'un et l'autre voyages, avec l'un ou l'autre compagnon, tu es prêt à voyager comme un aveugle. En ce qui concerne Suzanne, tu sais qu'elle te fera confiance. Quant à Jésus, un doute s'est installé et persiste encore : tu « penses » que « peut-être » tu lui feras confiance.

Tu veux la suivre aveuglément, en aveugle, à l'aveuglette. Elle te fera confiance. Elle te mène au fleuve, ondulant comme une barque dans ses fringues à fleurs, ses plumes, ses foulards de l'Armée du salut. Tu es prêt à tous les voyages et à tous les embarquements. Puisque tu as des lettres, sans doute lui récites-tu ces vers de Baudelaire:

> *Vois sur ces canaux*
> *Dormir ces vaisseaux*
> *Dont l'humeur est vagabonde;*
> *C'est pour assouvir*
> *Ton moindre désir*
> *Qu'ils viennent du bout du monde.*
>
> («L'invitation au voyage»)

Elle te sert du thé et des oranges tout droit venus de la Chine lointaine. Son hospitalité, écrit Cohen, «était immaculée» (dans les notes de *The Best Of*), pure, désintéressée. Pendant ces quelques instants, son bateau-lavoir amarré dans le Vieux-Port de Montréal est l'arche de ton salut, alors qu'alentour «Le monde s'endort / Dans une chaude lumière. / Là, tout n'est qu'ordre et beauté, / Luxe, calme et volupté.»

Tu pourrais passer la nuit à ses côtés, même si tu sais qu'elle est presque folle. Par ailleurs, tu n'as pas d'amour à lui donner et, alors que tu allais le lui dire, c'est elle qui change le cours des choses. Elle te fait entrer dans son monde, son univers mental (*wavelength*), et dans cet univers qui est le sien, il n'est pas question d'amour physique. Elle te suggère de prêter l'oreille au murmure du fleuve: ne te dit-il pas que tu as toujours été son amant sans l'être, par la puissance d'un contact en esprit, un contact «spirituel»? C'est avec ton esprit (*mind*) que tu as touché son corps parfait. Il a touché Suzanne dans son corps parfait. Mais c'est un toucher spirituel, en esprit et en vérité. Dans une entrevue à propos de son album *Various Positions*, Cohen a développé un peu cet aspect de l'esprit dans la relation amoureuse, quant à savoir ce qu'est l'amour:

> Je pense, disait-il, que les gens reconnaissent que l'esprit est une composante de l'amour, que ce n'est pas tout désir, qu'il y a quelque chose d'autre. L'amour est là pour aider votre solitude, la prière pour mettre fin à votre sentiment de séparation avec la source des choses.
>
> (Simmons: 337)

La première version du refrain parle donc de ce voyage que tu voudrais faire avec elle. Dans des conditions parfaites de confiance absolue. Et puis, le narrateur ouvre le panneau central de ce triptyque amoureux, dans lequel il fait apparaître, sans aucune transition, le personnage de Jésus en marin (*sailor*). Rien ne semblait annoncer le surgissement de ce «cassé» par excellence, brisé et oublié, abandonné à la toute fin – il en convient lui-même dans son cri sur la croix: «Pourquoi m'as-tu abandonné?» Cohen travaille comme un cinéaste. Il fond ensemble et monte, comme on fait au montage d'un film, deux scènes très éloignées. Dans un premier temps, il place celle qui est la plus appropriée au lieu: le fleuve dans le port de Montréal. Cette scène est celle du baptême du Nazaréen, que les récits placent dans les eaux du Jourdain. Ce qu'il retient de cette narration, c'est le ciel censé s'être ouvert, une colombe être descendue sur la tête du baptisé, pendant qu'une voix venue d'en haut garantissait que celui-ci était bien l'Élu, celui que les nations attendaient. Le poète garde ces éléments scéniques, mais il les inscrit dans un contexte complètement différent, dans le champ de sens ouvert par *broken*, *brokenness*. « Mais lui-même, écrit-il, était brisé bien avant que le ciel s'ouvre – oublié, humain presque, il a coulé en dessous de ta sagesse, comme une pierre. » Un mouvement d'anticipation très puissant nous porte à l'autre extrémité de la vie de l'Élu, ces scènes finales du pain rompu et partagé, puis des membres cassés au sommet du Calvaire. La fin est donc rabattue sur le commencement et l'un est interprété par l'autre. À l'ouverture du ciel, au moment du baptême, alors que vole une colombe et qu'une voix se fait entendre de là-haut, correspond un ciel obstinément sourd et fermé. L'ombre de cette catastrophe est reportée sur la scène de la légèreté de Jésus quand il marche sur les eaux. Lorsque le ciel s'ouvre au-dessus de sa tête, ce n'est pas le signal d'une élévation, mais d'un naufrage, d'une noyade, d'une enfoncée pitoyable : Jésus coule comme une pierre, lui qui avait pourtant dit : « Tous les hommes seront des marins, alors, jusqu'à ce que la mer les libère. » Le chanteur observe toutefois que cet échec pathétique est survenu en regard de « ta » sagesse. Laquelle serait donc plus grande, plus subtile ou plus puissante que celle de Jésus le marin ou que la nôtre, spectateurs, qui nous étonnons de la déconfiture de ce messie « abandonné, humain presque ».

Bien qu'il ait ainsi plongé au fond des eaux, Jésus a également occupé une position en surplomb, le temps qu'il a passé à monter la garde du haut de sa tour de bois solitaire. Le chanteur nous représente le gibet comme un haut lieu de vigie, de vigilance. Et de garde : n'est-ce pas ce que l'Écriture dit des prophètes, qu'ils sont des guetteurs qui montent la garde sur les remparts de la cité. C'est également la tour de bois où est enfermé un autre genre de guetteur, le poète en tant que prophète. Et pour le chanteur, c'est la tour aux chansons (« Tower of Songs »), à la fois atelier et donjon.

Dans un autre passage, le chanteur s'identifie encore plus fortement lui-même au Christ mis au tombeau, à la veille de la résurrection : qui rendra cette résurrection possible, qui roulera la pierre ?

Montre-moi l'endroit
aide-moi à rouler la pierre
montre-moi la place
je ne peux pas bouger cette chose seul
montre-moi l'endroit
où le Mot est devenu homme
montre-moi l'endroit
où la souffrance a commencé.

Le poète cinéaste utilise à nouveau le même procédé de tuilage d'une scène sur l'autre, de la fin sur le commencement, de façon subtile, dans les vers suivants : « montre-moi le lieu / où le Mot s'est fait homme ». Le lieu de l'ensevelissement, de l'obscurité

– et de la résurrection à venir – serait le même lieu où le Mot, le Verbe, la Parole passent dans une incarnation.

Le troisième couplet revient vers Suzanne dont il complète la peinture. Attriquée de guenilles et de plumes de l'Armée du salut, elle prend la main de son visiteur et le guide au bord du fleuve. «Le soleil, dit la chanson, tombe comme du miel / sur Notre-Dame et sa chapelle», dans la traduction du poète québécois Gilbert Langevin. Elle te montre, poursuit le narrateur, où il faut regarder et ce qu'il y a à voir dans les poubelles, les déchets et les fleurs. Quand on observe les choses comme elle les regarde, on voit des héros dans les algues (*seaweed*) et des enfants dans le matin, comme des algues encore, qui fluctuent au gré de l'eau et qui inclinent vers l'amour («*They are leaning out for love / And they will lean that way forever*»). De façon énigmatique, le narrateur indique que toute cette vision du monde n'est possible que par l'entremise de Suzanne «qui tient, dit-il, le miroir», cet objet magique qui fait apparaître et qui transfigure. Ce miroir est une miniature des grandes surfaces liquides qui composent la géographie des scènes : le fleuve, la mer sur laquelle vogue Jésus et dans laquelle il va sombrer. Cet élément liquide de même que la surface réfléchissante du miroir sont autant de composantes qui forment un réseau autour de la réalité translucide de l'esprit (*mind*) et qui établissent le contexte spirituel, magique, onirique et peut-être hallucinatoire de l'histoire. Mais Suzanne n'est-elle pas «à moitié folle», et Jésus n'est-il pas un pantin désarticulé par la souffrance, par la déréliction?

Elle est bénie, la mémoire de ces personnages à la fois lumineux et fragiles. Ils sont cassés, ces veilleurs et ces illuminés, mais ce ne sont pas des pantins désespérés. La chanson «Blessed Is the Memory» insiste sur la nécessité de garder la promesse, c'est-à-dire de la conserver, mais également de monter la garde auprès d'elle.

> À travers les jours de honte qui s'en viennent
> à travers les nuits de sauvage détresse
> bien que ta promesse ne compte pour rien
> tu dois la garder néanmoins.

La promesse en tant que persévérance pour l'autre. Il faudrait travailler le sens de la préposition «pour». La persévérance que l'on s'impose à soi à l'égard de l'autre. Mais également la persévérance que l'on prend sur soi à la place de l'autre – qui n'en est peut-être pas capable, ou qui n'est pas rendu là –, afin que la promesse tienne bon quand même et continue d'attirer la confiance. Par la syntaxe de ses vers, le chanteur articule très fortement l'interaction entre la fragilité misérable ou minable de qui promet et la fidélité absolue qu'il faut garder à ce qui a été promis. Un jeu de mot sur *through* (à travers) et *though* (bien que) sert de cheville pour explorer et souder les dimensions de la promesse. Elle est prise, elle est conditionnée, elle est soumise à toutes sortes de restrictions qui sont autant de menaces, de mauvais augures quant à sa réalisation. «À travers», et encore «à travers» et «bien que»: autant de réserves, de précautions, de mises en garde, de prédictions et d'anticipations d'un naufrage toujours possible de la promesse. Pour finir, sans aucune consolation, sans aucune garantie, sans aucune assurance, par l'injonction, l'ordre et le commandement pur de la pure promesse: «tu dois néanmoins la garder». La seule sauvegarde qui vient, non pas garantir, mais renforcer l'intimation de la promesse à garder, c'est le «néanmoins», qui est en quelque sorte le viatique dans les périls de la traversée. C'est un don très ténu, fragile, pas même une chose ni une présence, mais un support adverbial qui est accolé à l'ordre, à l'injonction. Sans ces garanties ancrées dans un devoir de garde et de sauvegarde de la foi donnée, les relations humaines, le commerce dans la confiance, l'hospitalité et l'échange ne peuvent pas résister à tous les vents contraires. C'est le drame de la foi donnée et trompée, de la promesse faite et rompue. Pour les amoureux, c'est la domination de l'un par l'autre, la réduction à un esclavage, physique ou émotif, dont Leonard Cohen donne une illustration dérangeante dans le sort que subit son frère en écriture, le roi David.

Parce qu'elle est fondée sur la répétition du cri de joie par excellence, «Hallelujah», cette chanson fait souvent illusion auprès des auditeurs. Le public et certains interprètes s'en tiennent à cette première impression: ils insufflent à leur interprétation un air de confiance, de bonheur, si ce n'est de joie de vivre. Certes, Hallelujah est une exhortation à la louange:

«vous tous, louez Dieu [Yah]» que les pèlerins, par exemple, reprennent dans les «chants des montées» vers Jérusalem. Passé dans la culture populaire et contemporaine, c'est une exclamation de joie, reprise parfois avec une nuance ironique ou dérisoire. Le chanteur connaît parfaitement et assume toutes ces connotations de l'exclamation biblique. Il lui impose cependant une torsion puissante et inattendue. Le cri de joie est transposé par lui dans un contexte de détresse et de brisure (*brokeness*). C'est un «*broken Hallelujah*», un Hallelujah cassé, de même que Jésus, dans «Suzanne», était brisé et abandonné.

Dès les premiers mots, l'auditeur est plongé dans la suite d'une conversation déjà engagée: «eh bien, voici, j'ai entendu dire que». Les deux premières strophes sont ancrées dans des circonstances censées reconstituer l'origine biblique de l'exclamation. Dans un premier temps, le narrateur évoque l'habileté du roi David, musicien professionnel et poète aimé du Seigneur. En passant, il remarque que «la musique, ça ne t'intéresse peut-être pas». Dans un deuxième temps, le conteur se tourne directement vers le roi musicien amoureux à qui il rappelle le retournement de situation par lequel il a été subitement et brutalement réduit en esclavage domestique par son amante.

La troisième strophe poursuit l'amorce de dialogue qui était posée dans la première. On ne sait pas exactement quel est ce «tu» à qui le narrateur s'adresse avec une certaine amertume, une colère rentrée: «Tu te fiches pas mal de la musique, pas vrai?» Et ici: «Et si j'avais pris le nom en vain, qu'est-ce que ça peut bien te faire ?» L'échange à sens unique porte sur une discussion à caractère théologique familière à Cohen – et à la littérature juive : le «Nom». Un reproche quant à l'observance du troisième commandement : «Tu n'utiliseras pas le Nom en vain.» Le narrateur se défend de l'accusation par une esquive classique : «je ne connais même pas le Nom» ou encore, de façon plus fondamentale : «qui peut savoir – ni toi ni moi – ce que signifie le Nom». Et puis, la même rebuffade que dans la première strophe : «Et même si je l'avais fait, si j'avais pris le Nom en vain, qu'est-ce que cela peut bien te faire ?» Les derniers vers se dégagent de cette dimension conflictuelle. Cohen expose un aspect de son art poétique qui lui tient à cœur, et qu'il devait sans doute partager avec son grand-père kabbaliste : dans chaque mot, il y a un éclair de lumière. Et dans ce cas, peu importe ce que tu as entendu, quelle nuance tu accordes à mon Halle-lujah, que tu l'entendes comme le saint ou comme le cassé. L'un et l'autre, l'un ou l'autre sont porteurs de lumière, tout particulièrement puisque c'est dans la cassure que s'infiltre la lumière.

Après cet aparté théologique, la quatrième stro-phe pourrait permettre une relecture de toute la chanson. L'histoire de la déchéance du roi David aux mains de sa maîtresse devenue castratrice serait une allégorie de ce qui s'est passé entre «toi» et «moi». Un aveu d'impuissance : j'ai fait de mon mieux, mais ce n'était pas grand-chose. Je ne pouvais pas res-sentir, j'ai donc essayé de «toucher» – en parallèle à «Suzanne» –, j'ai dit la vérité, je n'ai pas essayé de te tromper. Et même si tout a foiré, je me tiens devant le Seigneur du chant avec rien d'autre sur la langue que cet Hallelujah faisandé.

Ce mouvement de torsion a été mis en place dès la première strophe de la chanson. Le poète a construit son texte comme une sorte de montage ou de collage de fragments bibliques, arrachés à leur contexte et violemment intégrés à des situations modernes, urbaines. Il nous dépeint le roi David jeté à bas de son trône et ligoté honteusement à une chaise de cuisine. L'amante, magnifique dans son bain mais soudain perturbée par le clair de lune, a été intoxiquée par sa propre beauté et par le pouvoir qu'elle lui a procuré sur le roi. «Elle t'a attaché à une chaise de la cuisine, elle a cassé ton trône, elle t'a coupé les cheveux. Et de tes lèvres, elle a tiré cet Hallelujah, qui, étant donné ta situation pitoyable, ne pouvait être qu'un hoquet dérisoire». Le poète plaque sur le roi de Jérusalem le sort de Samson, l'homme fort que la perfide Dalila avait réduit à rien en lui coupant les cheveux : «Elle rase les sept tresses de sa tête et commence à lui faire violence : sa force s'écarte de lui.» (*Juges* 16,19) Il reporte aussi sur la tête du père, David, la beauté de son fils préféré, Absalon, qui périt assassiné, suspendu à un pistachier par ses cheveux qui faisaient de lui «le plus bel homme en tout Israël» (*Deuxième livre de Samuel* 14,25). Mais tout ça, c'était avant la réduction en esclavage, ou en tout cas, la domestication : je me prenais pour un bohémien, un gitan, avant que tu ne m'amènes à la maison. Et d'ailleurs, ç'a été la fin de la magie et des sortilèges : j'en ai oublié de prier les anges, et les anges ont fini par oublier de prier pour nous. Tu as bien tissé ta toile d'araignée, et j'ai maintenant une pierre nouée à la cheville. La domination s'est installée insensiblement, jour après jour et au gré de menues manœuvres qui ont fait du mâle séduisant un esclave, un bagnard de l'amour, un condamné à l'amour conjugal. À perpétuité.

Il y a plus encore. Ce scénario de domination domestique n'est qu'une phase tactique, une ruse de guérilla ou une suite de trahisons. L'amour est en effet une activité féroce. Ce n'est pas une balade (*an easy ride*). Leonard Cohen en a traité de façon explicite dans la mise en scène proposée par l'album *Chansons d'amour et de haine*. Et il en a parlé plus longuement dans une entrevue :

> Ce n'est pas un terrain de jeu pour aucun de nous, ni pour l'homme ni pour la femme. L'amour, c'est l'activité la plus éprouvante (*challenging*) dans laquelle les humains s'engagent. Vous savez, alors que nous avons le sentiment qu'on ne peut pas vivre sans amour. Que la vie sans amour a très peu de sens. Alors, nous sommes invités à descendre dans cette arène, qui est une arène très dangereuse, où il y a de très grandes possibilités d'humiliation et d'échec. Alors, il n'existe pas de leçon déterminée qu'on pourrait apprendre, parce que le cœur est toujours en train de s'ouvrir et de se fermer, toujours en train de s'amollir et de se durcir. Nous faisons toujours l'expérience de la joie ou de la tristesse. Mais il y a beaucoup de monde qui ont tout fermé.
>
> (Entrevue avec Jian Ghomeshi, *The Guardian*)

Dans la chanson «There is a War», l'ouverture annonce que, de façon générale, la guerre sévit entre riche et pauvre, droite et gauche, homme et femme. Pourtant, la suite de la chanson ne se concentre que sur le scénario domestique. La vie les a changés, lui surtout, semble-t-il. Ce qui était auparavant les bonheurs de l'amour n'est plus, dit-elle, que «du service aux chambres». Il a changé en effet: le voilà devenu combatif et combattant. Auparavant, il était faible, facile à contrôler. Il était de ceux, les naïfs, qui ne se rendent même pas compte que c'est la guerre, et qu'ils sont pris dedans. «Tu m'as aimé en perdant, mais maintenant, tu te fais du souci à la pensée que je pourrais bien gagner.» («*You loved me as a loser, but now you're worried that I just might win.*») C'est effectivement comme cela aujourd'hui: je suis un «guerrier» et je te déclare: «c'est la guerre / tu es ici pour être détruite» («C'est la guerre», p. 145). Tu ne peux pas t'y faire, tu aimais mieux le gentleman que j'étais autrefois. Un homme «facile» en tous points. Rond, lisse, mou et sans aspérité. Si commode à vaincre, à contrôler. Je ne savais même pas qu'il y avait la guerre, qu'une telle chose existait, ce genre de stratégie dans les relations humaines, et encore moins dans les relations amoureuses. Que la guerre était possible, qu'elle était faisable, qu'on pouvait se mettre en guerre, comme on se met en rogne, en colère.

Leonard Cohen expliquera à sa compagne, l'actrice Rebecca De Mornay, que la vie à deux, dans le mariage, est bien plus difficile que l'ascèse zen du mont Baldy. Pour l'un et pour l'autre, les parte-naires sont chaque jour des miroirs. Il n'y a pas d'échappatoires possibles (Simmons : 405), pas plus qu'il n'y en a pour les galets que le ressac meule sans cesse les uns contre les autres.

C'est dans leur chambre que les amants s'aban-donnent l'un à l'autre. Certains jours, elle est illumi-née de l'intérieur et remplie de couleurs. Dans *Le chant des chants* des Écritures juives, tout a une charge érotique, même le mobilier : la porte, le loquet, la tour, la fenêtre, le lit.

> *Oui notre lit est verdoyant*
> *Les poutres de nos maisons sont des cèdres*
> *Nos lambris sont des cyprès*
> *[...]*
> *Mon ami a tendu la main par l'ouverture*
> *Et mon ventre était en tumulte à cause de lui*
> *Moi je me suis levée*
> *Pour ouvrir à mon ami*
> *Et mes mains laissaient tomber de la myrrhe*
> *Et mes doigts de la myrrhe fondue*
> *Sur les poignées de la barre.*

D'autres jours, la chambre d'amour est grise, morne et glauque, sale et lourde de toutes les batail-les livrées et perdues, puisque cette même chambre sert également d'arène aux amants pour s'y livrer les batailles les plus cruelles. Ils se donnent sans compter, comme des pugilistes, comme des boxeurs abattus dans les bras l'un de l'autre et qu'aucun arbitre ne vient séparer, des duellistes sans cesse encombrés l'un de l'autre. Ils y savourent la victoire, ils y subissent la défaite. Il se peut que le perdant né, le «*looser*», gagne tout à coup par un renversement de caractère ou de situation qui laisse l'adversaire pantois. «Je me tourne vers toi, mon chant dans la maison de la nuit, mon armure contre les querelles.» («C'est vers toi que je me tourne») Cette attitude belliqueuse du guerrier dans son armure, on peut la voir encore amplifiée, bestiale, dans l'image d'une bête cornue, rhinocéros fantastique qui farfouille et lacère quiconque s'aventure à faire des gestes de rapprochement: «Telle une bête avec sa corne / j'ai déchiré quiconque tentait de m'atteindre.» («Bird on the Wire»)

Parfois, le caractère polémique de la situation n'est pas si évident ou si violent, et les circonstances ne sont pas si claires. Dans la chanson «Sweet as a Breeze», tout se déroule comme dans une danse: selon une chorégraphie réglée, un ballet moderne, il y a des avancées et des reculs, des tournoiements. C'est une souque à la corde. En d'autres temps et en d'autres lieux, ce serait le mouvement de la valse. Souvent, la plupart du temps même, dans la grisaille de la vie quotidienne, il n'y a rien à célébrer, ni victoire ni défaite, tout juste une trêve provisoire, une accalmie. Pour survivre, il faut alors faire la tortue, se ramasser, se refermer, rentrer dans sa carapace. Et dans cet abri, tramer un abandon, planifier une désertion. À force d'avoir pris tous ces coups et dans l'éventualité d'en prendre encore davantage, plus d'un amant rêve d'abdiquer, de battre en retraite. Dans le désert de l'amour en panne brille le mirage de la lâcheté, de la débandade, de la fuite. Mis en position de faiblesse, peut-être saura-t-il au moins formuler la demande d'une trêve : libère-moi («*cut me loose*») ou donne-moi un peu de jeu («*give me some slack*»). Peut-être y aura-t-il une confession humiliante, accompagnée de larmes. En dépit de son air bravache d'autrefois, l'amant désemparé d'aujourd'hui confiera :

je n'ai jamais été assez bon dans mon amour pour toi,
à faire ce qu'une femme veut vraiment qu'un homme fasse
Tu verras, tu te sentiras beaucoup mieux
quand tu m'auras largué à jamais.
Je n'étais jamais assez bon
jamais assez bon
je n'étais jamais assez bon pour t'aimer

(« Never Any Good »)

Dans son lit, avachi et sans tonus, il était devenu un touriste qui admirait le « paysage » – « et pourtant, confesse-t-il, je ne peux pas oublier où mes lèvres se sont posées, ces collines sacrées, ce ravin profond ». Il n'était pas romantique non plus : il a commis des crimes contre le clair de lune, bien qu'il estime que la lune doit probablement s'en ficher. Entre elle et lui, cela s'était joué comme une partie de cartes dans laquelle elle avait tout raflé, l'as et le roi, et percé son bluff à jour. Elle a tout gagné, partout et en tout. Il avait été bon à quoi ? Sortir les vidanges, soutenir le mur, faire face au feu ou au tremblement de terre : mais tout ça, ça ne compte pas pour grand-chose.

Finalement, il se peut bien que la séparation soit la voie à emprunter. Sous plusieurs formes : éloignements, arrachements, ruptures, les séparations sont autant de scansions de l'expérience amoureuse. Elles la rythment. Ne répondent-elles pas à un besoin d'espace vital, à la nécessité d'un espacement dans les lieux et dans le temps ? Il y a donc la séparation qui fait languir davantage et anticiper le moment de la réunion.

Ainsi bien des nuits survivent
À l'absence de lune, d'étoiles,
Ainsi nous survivons
En allés l'un de l'autre et loin.
    (« Ainsi le brouillard ne laisse pas de cicatrice », p. 25)

Puis il y a la vraie séparation (trop) vite faite, à la sauvette, et qu'on ne prend pas au sérieux, qu'on évalue même avec un regard amusé sur la braguette encore gonflée : « Hé : c'est pas une façon de dire au revoir. Ne t'en vas pas encore bandé. » (« *Don't go away with your hard on.* ») Dans les cas plus extrêmes, on se retrouve chacun de son côté de la rivière et tous les ponts sont brûlés. Il reste des cicatrices, parfois dans sa chair même, des ecchymoses. Ou des traces invisibles dans le tissu de l'âme, des relents de haine, des arrière-goûts amers. De façon plus positive, il reste une mémoire, et dans cet espace intérieur qu'est la chambre intime, une proximité : « je me sens si proche de tout ce que nous avons perdu / nous n'aurons jamais, nous n'aurons jamais à le perdre à nouveau » (« Tower of Songs »). Si c'était possible de préserver les souvenirs du passé pour empêcher les séparations à venir. Mais déjà cette mémoire n'est pas infaillible et les contours des événements passés s'embrouillent. Je t'ai aimée, oui, mais quand déjà ?

Dans une chanson poignante, Leonard Cohen expose de façon subtile et nuancée la complexité des émotions en jeu au moment de la séparation. « Alexandra Leaving » est composée d'après un texte classique du poète grec Constantin P. Cavafy, « The God Forsaketh Antony », dont le sujet est la situation critique du général romain Marc Antoine alors que les dieux l'abandonnent dans la ville d'Alexandrie. La chanson de Cohen en est un décalque très libre, puisque toute référence historique y est éliminée : les seuls dieux dont il est question sont ceux de l'amour qui déserte le cœur des amants. Il ne s'agit pas d'un cauchemar que le matin viendrait dissiper, mais d'une situation irréversible qui est formulée sobrement en deux vers : « dis au revoir à Alexandra qui s'en va / dis au revoir à Alexandra que tu as perdue ». La teneur de la chanson repose sur deux mouvements, *leaving* et *lost*, le départ et la perte qui passent dans le léger décalage entre la voix du soliste et celles des choristes.

Les paroles expriment la prise de conscience de la situation présente, à laquelle il est impossible de se soustraire. Certes, ce n'était pas prévisible : les apparences ne laissaient rien présager. Au matin, elle était là, allongée sur les draps de satin, elle t'avait réveillé d'un baiser. D'ailleurs, le rire d'Alexandra résonne encore dans la chambre : tu l'absorbes pour en garder le souvenir. Ne pense pas cependant que cela veut dire que l'engagement réciproque est encore durable. Ceci n'est pas un rêve éveillé ni une scène imaginée. Ne te réfugie pas dans un déni comme celui-là. Tu dois agir fermement, comme quelqu'un qui s'est préparé depuis longtemps un bon plan de sortie, même si aujourd'hui, toute cette planification fait naufrage. Ne te replie pas comme un lâche derrière une explication bidon de cause à effet. Tu avais été médusé par des signes inconnus qui formaient un code impossible à percer, comme une croix démontée. (« *Every plan you wrecked, code broken, crucifix uncrossed.* ») Comme il est dit ailleurs : « il y avait des signes dans le ciel, mais je ne savais pas que je serais coincé dans la poigne du ressac » (« Undertow »). Dis maintenant au revoir à Alexandra qui s'en va, dis au revoir à Alexandra que tu as perdue.

Le mouvement de séparation, ici, est inéluctable et définitif. Ailleurs, et pour un autre couple (« Hey That's No Way to Say Goodbye »), la rupture est davantage le fait ou l'effet des circonstances plutôt que d'une fracture, d'une faillite émotionnelle. La rupture se fait en douceur. Sans acrimonie, regrets ou amertume, de bons moments seront préservés, repliés dans l'armoire de la mémoire. La mise en scène est assez semblable : je t'ai aimé au matin, nos baisers profonds et chauds, tes cheveux sur l'oreiller, comme une tempête dorée endormie. Mon amour

185

part avec toi, le tien reste avec moi: seulement notre manière d'être ensemble change, comme l'eau de la mer travaille la plage. Évitons de parler d'amour ou de chaînes, de ces choses qu'on ne peut pas dénouer. Et pourtant, malgré nos efforts pour faire bonne figure, voici que tu as les yeux attendris par le chagrin… Les amoureux connaissent les affres des luttes et les coups qu'ils peuvent s'infliger les uns aux autres par des paroles plus blessantes que des armes. Et pourtant, dans tous les débordements de langage auxquels les pousse leur passion, ils savent qu'ils ne disent pas tout. Qu'il leur reste dans le cœur du non-dit, de l'impossible ou de l'impensable à dire. Leonard Cohen a souvent chanté ces échanges entre les amoureux, avec finesse, ironie et parfois une cruauté assez brutale. Dans la chanson « Avalanche », – il reconnaît que c'est l'une de ses plus énigmatiques –, il fait entendre de façon symbolique les emportements les plus démesurés de la hargne amoureuse.

Le poète écrit souvent ses chansons sous forme de dialogues, et il se place parfois lui-même parmi les personnages de cette conversation. Il peut ainsi intervenir de plusieurs manières, s'attribuer plusieurs rôles et parler de plusieurs voix. C'est l'occasion aussi d'adopter une posture théâtrale, d'incarner un personnage de composition. Il peut ainsi pousser plus loin les aspects ironiques, dérisoires ou pessimistes que s'il parlait à la première personne. N'a-t-il pas dit de lui-même qu'il était « le dépressif chimique le plus puissant du monde » ? Le chanteur tire parti de cette sorte de dédoublement de la personnalité dans plusieurs chansons. La plus célèbre est peut-être « Famous Blue Raincoat ». En ce qui concerne l'amour, le couple, les relations tumultueuses entre les partenaires, c'est plutôt dans « Avalanche » qu'il pousse le plus loin l'utilisation de cette technique d'écriture. De façon significative, c'est elle qui ouvrait l'album sombre de 1971 *Songs of Love and Hate*, et elle oscille en effet entre ces deux pôles : l'amour et la haine.

Dès les premières notes, l'auditeur est déstabilisé. Certes, l'accompagnement à la guitare fournit une base constante – haletante, néanmoins – qui ne changera pas pendant toute la durée de la chanson. Et pourtant, ce qui devrait être un facteur de stabilité est fortement mis en tension et en contraste avec la voix et la diction du chanteur. La voix est hargneuse, forcée, caricaturale et détestable. Cette voix d'une fausse conscience rugueuse comme le son de la meule sur le fer est émise par un personnage qui est une sorte de Quasimodo, de Bossu de Notre-Dame. Sa difformité physique est le reflet extérieur des tourments que lui inflige son démon intérieur. Les auditeurs comprennent que cette entité se voit comme au centre de l'univers, en état de domination absolue mais cachée sous des apparences trompeuses. Elle ne réclame pas d'adorateurs : elle les méprise plutôt, puisque c'est par ses propres forces qu'elle peut se hisser sur un piédestal.

Comme il arrive souvent chez Cohen, l'amour grinçant, grimaçant ou difforme est illustré par une situation géographique, ici l'avalanche. La fureur de ce personnage a été éveillée par une rencontre accidentelle, comme celle du filon par le coup de pic du chercheur d'or. Sur sa lancée furibonde, il raconte sa vision désespérée des choses. On comprend alors qu'il est lui-même le premier responsable des maux dont il se plaint. Pas tout à fait cependant: cette créature n'a pas toujours été telle qu'elle apparaît aujourd'hui. Il y a eu un autrefois dont on devine les circonstances par les allusions et les reproches qu'il fait à un interlocuteur ou à une interlocutrice imaginaire.

Il est moins question d'amour que de la «conquête de la douleur». Mais pour réaliser cette conquête, il faut apprivoiser le monstre. Il nous avertit qu'il ne se contentera pas des miettes d'amour qu'on peut lui offrir: ces miettes, ce sont les restes que lui-même a abandonnés. Cet infirme dont on (qui?) prend soin, qu'on habille et qu'on nourrit n'est pourtant pas affamé pas plus qu'il n'a froid. C'est un misanthrope: il n'a besoin de la compagnie de personne et, en tant que témoin destructeur, il est bien campé dans son rôle paradoxal de tout-puissant et de victime. Il met donc sa situation pitoyable en regard de celle de son interlocutrice. Essentiellement, dit-il, la douleur que tu cherches à guérir n'a pas de valeur ici. Ce n'est que l'ombre – et Cohen insiste fortement sur les sonorités du mot *shadow*, répété deux fois. Il affirme à la fois qu'il a commencé à éprouver du désir pour elle, lui qui ne connaît pas l'appât du gain (*greed*), qu'il a commencé à demander son retour, lui qui n'a pas de besoin (*need*). Tu dis que tu t'es éloignée de moi, mais je peux sentir ta présence quand tu respires. Puis, comme une allusion au personnage de «Suzanne»: «ne t'habille pas de ces guenilles / je sais que tu n'es pas pauvre». Tu ne m'aimes pas si ardemment maintenant que tu n'es pas certaine. C'est à ton tour, chérie, d'entrer dans cette spirale d'amour et de haine: c'est ta chair que je porte.

Il est clair que la créature difforme et hargneuse n'est pas prête pour une réconciliation ni même à un dialogue. C'est elle qui prend la parole et elle ne la partage pas. Elle interprète à sa guise ce qu'elle pense être les sentiments de son interlocutrice. D'ailleurs, le bossu considère que son amante d'autrefois ne possède absolument rien en propre: ce qu'elle tente de lui offrir aujourd'hui pour l'apprivoiser, c'est ce que lui-même a laissé derrière. Comme une divinité, il est tout-puissant, il sait tout et n'a besoin de personne. Un accident malencontreux l'a réveillé de son engourdissement et il en profite pour éructer sans retenue la haine et le mépris qu'il a pour celle qui, pense-t-il, tente peut-être un rapprochement. «Avalanche» n'est pas une chanson populaire: on ne la trouve pas dans les anthologies des grands succès de Cohen. Il fallait cependant lui faire une place: elle offre un agrandissement théâtral, paroxystique des émotions négatives les plus souterraines dont les amoureux sont porteurs, alors même qu'ils n'osent pas ou ne savent pas les exprimer. Pendant un bref instant, elle amène à la lumière le sombre filon de colère et de ressentiment qui court dans les veines de la passion amoureuse.

Le temps tire à sa fin

Les chansons de Leonard Cohen sont fortement articulées dans le temps. Le temps qui passe, qui est en train de passer, qui a commencé dans une origine et qui file vers un avenir. Il y a chez Cohen un sentiment d'urgence : le temps est mesuré, compté, et il n'est pas illimité. Le chanteur possède cette conviction qu'il existe un événement butoir qui marquera la fin de l'Histoire. Et cette conviction installe une tension dans ses chansons, une tension dirigée, orientée vers la fin. Comme la lettre est adressée à un destinataire, le temps est adressé à une fin à laquelle il arrivera immanquablement. Il s'agit d'une tension qu'on dit «eschatologique», dans laquelle une apocalypse vient se placer, conformément à un scénario très classique dans la littérature juive. Toutefois, fidèle à son habitude, le chanteur nuance ce qu'il affirme et désamorce toute dimension péremptoire de sa prédiction : «il y a un jugement redoutable qui s'en vient, mais je peux me tromper».

L'attention accordée au temps passé s'explique par le rôle important de la mémoire dans plusieurs des cultures auxquelles Cohen s'abreuve : la culture juive, puis la culture chrétienne et enfin la culture classique occidentale. Cette mémoire, le chanteur la dépeint parfois de façon statique comme étant une *storage room*, un entrepôt qu'on ne cesse de visiter, d'enrichir, de parcourir. De façon plus restreinte, il y a les albums de photos, les carnets, les objets aide-mémoire ou *forget-me-not*, comme cette boucle de cheveux apportée par Jane («Famous Blue Raincoat»). Le chanteur est lui-même très porté sur la conservation de ses œuvres; il ne les abandonne pas. Il les a travaillées pendant si longtemps, il leur a consacré tant d'heures, d'énergie, de désespoir. Il ne les a pas lâchées dans le domaine public avant d'être convaincu qu'il les avait poussées à la perfection et qu'elles le satisfaisaient lui, avant tout autre. L'un des grands bonheurs de sa vie a été de pouvoir récupérer ses archives personnelles laissées aux mains de Kelley Lynch… (Simmons: 455)

Cet intérêt pour le passé, pour sa conservation par la mémoire peut se figer en une sorte de crampe, une posture trop tendue dont on ne peut plus sortir: «je ne semble pas capable de relâcher ma prise sur le passé» («In My Secret Life»). Mais d'autre part, n'est-ce pas plutôt le passé qui tient le sujet dans sa prise, dans sa poigne? De sorte qu'on pourrait tout aussi bien dire: «je ne peux pas échapper à la prise, à l'emprise de mon passé». De ce point de vue, le temps passé constitue une menace: il ne lâche pas prise, et il interdit de lâcher prise. Le passé refuse de s'en aller. Peut-on en être «lavé» – ou du moins de certains écarts d'autrefois –, comme le demandait le roi David : «lave-moi de ma faute / je serai net / plus blanc que la neige» (psaume 51) ?

D'autre part, dans les chansons de Cohen, tout comme dans la vie de chacun, le passé est susceptible d'être revisité. Grâce à la mémoire gardienne fidèle, des lieux sont parcourus, des personnes sont rencontrées de nouveau, des situations sont rejouées, des paroles sont redites. Cette revisitation peut également constituer l'occasion d'une métamorphose : dire ce qui n'a pas été dit, ou dit correctement, corriger le porte-à-faux de certaines situations. C'est une occasion de rendre justice, de faire justice, de faire ce qui est juste. Amener aussi à la vérité. Enfin, c'est la dynamique dans laquelle peuvent s'épanouir la confession, l'aveu et la demande de miséricorde, qui sont autant d'étapes dans cette montée vers la justice. On verra plus loin que cette aspiration concrètement impliquée dans un engagement est le seul moyen d'échapper à la colère qui vient.

Quoi que l'on fasse, le temps passe et va à son achèvement comme un fleuve court infailliblement se jeter dans la mer. Dans ces conditions, il faut entrer dans le courant de la durée et laisser filer les personnes et les choses qu'il emporte avec lui : «ne t'appesantis pas sur ce qui est passé / ni sur ce qui est encore à venir» («Anthem»). Et en contrepartie, dans le même mouvement, ne pas anticiper ce qui est à venir, ce qui est par le fait même imprévisible et incertain : ce qui viendra peut-être ou ne viendra peut-être pas. Dans ces circonstances, danser, rire, jouer sont les activités qui conviennent. Activités insouciantes, qui à première vue contrastent avec le *sérieux* que les Écritures paraissent exiger dans les paroles des sages et dans les admonestations des prophètes : le sérieux éthique, le sérieux du comportement moral et de la vie politique. Cependant, Nietzsche, par exemple, considère qu'il n'y a rien de plus sérieux que le jeu, la danse, le rire. Et plus particulièrement l'autodérision dont Cohen est très friand, la satire des tristes figures de la politique et de la morale. Force également de l'ironie qui garde les enjeux en jeu : elle dissout ce qui risquait de se figer, de prendre en un pain, de se transformer en bloc totalitaire et en idéologie irréductible.

La dimension du temps passé est bien présente dans les chansons de Cohen, surtout quand il est question de la confession, de l'aveu, du pardon et de la mémoire. Toutefois, c'est la tension vers l'avenir qui est sans doute plus connue des auditeurs. *The Future*, paru en 1992 – à la fois le titre de l'album et de l'une des chansons qui le composent –, a marqué un grand coup dans la réception de l'œuvre. L'artiste avait commencé à travailler sur cette chanson en 1989, au moment de la chute du mur de Berlin. Le titre provisoire indiquait l'angle sous lequel la situation politique était envisagée : « si vous pouviez voir ce qui viendra ensuite » (« *If you could see what's coming next* »). Cohen lui-même n'a pas manqué de souligner toute l'importance qu'il donnait à ces paroles. Non sans une certaine pointe d'autodérision cependant. De façon éloquente – mais obscure pour bon nombre de ses auditeurs –, il les a comparées aux thèses de Martin Luther, par lesquelles celui-ci établissait les paramètres de sa rupture avec l'Église de Rome et posait les fondements de ce qui allait devenir le luthérianisme. S'il leur avait donné la portée dramatique et grandiloquente des énoncés du moine allemand, ses propres vers auraient pu se lire, dit le chanteur, comme un document lourd et prémonitoire. Mais ces vers sont *mariés* à une petite musique sensuelle et dansante.

> Si j'avais tout simplement cloué les paroles de «The Future» à une porte d'église à Wittenberg, ce serait un texte pesant et annonciateur et sinistre – mais il est marié à une petite bande sonore de danse *hot*. Alors la musique se dissout dans les paroles et les paroles dans la musique, et ça nous laisse quelque chose de rafraîchissant, une sorte de bouffée d'oxygène.
>
> (Entrevue avec John Walsh, *The Independent Magazine*)

Il n'en demeure pas moins que les paroles sont fortes et les figures percutantes, de sorte que la chanson a beaucoup frappé les gens. Dans les entrevues que donna alors Cohen pour faire la promotion de son album, on perçoit un certain étonnement ou du scepticisme chez les chroniqueurs et les journalistes. Dans une entrevue à la télévision française, il dit à Michel Field que les Américains sont portés à envisager une sortie catastrophique des choses alors que les Européens, même quand ils sont en plein cœur de la déroute, demeurent des optimistes et des rêveurs. Les strophes de la chanson affirment en effet qu'il existe bel et bien une date butoir, un moment de fermeture (*closing time*) – qui demeure pour le moment suspendu, indéterminé –, mais qui surviendra sûrement: ce n'est qu'une question de temps. Pour les fêtards, il s'ensuit une certaine urgence qui se donne quand même le temps d'une ultime frénésie. Sur l'album précédent, *I'm Your Man* (1988), une autre chanson également très connue, «Take This Waltz», exprimait la même idée par le recours à une danse de circonstance. Une valse dont l'haleine sent le brandy et la mort et qui traîne sa queue vers la mer («*With its very own breath of brandy and death / Dragging its tail in the sea*»). Une valse d'ailleurs en train de mourir depuis des années. Dans ce contexte de fin (du monde), cette valse est tout ce qu'il reste à prendre, il n'y a plus rien d'autre. La colombe pressent le retour du déluge: elle est en train de mourir dans un arbre. Il faut donc prendre la valse comme on prendrait la fuite, ou comme on prendrait un taxi, un bateau, un avion pour échapper à une menace.

La catastrophe se présente sous la mise en scène d'un terrible (jour du) jugement, présenté sous un mode *trash* dans «The Future». L'émissaire du «juge» apparaît comme un homme sans principe: «il ne reste ici personne à torturer», dit-il d'entrée de jeu. Il est violent avec la femme qui l'accompagne. Il veut un retour à l'état antérieur des choses, symbolisé par le mur de Berlin, Staline et les anathèmes de Paul, ou le Christ lui-même, ou Hiroshima. «Tout s'en va, dit-il, dans toutes les directions.» Ce qui a changé de façon définitive, irrémédiable : le blizzard du monde a franchi un seuil ; désormais, l'ordre de l'âme a été tourné sens dessus dessous. Les roues du char du ciel s'arrêtent ici. C'est au tour du Satan, de l'adversaire d'engranger sa récolte. Et ça va saigner : « *It is murder.* » Lynchages de Noirs, viols et meurtres de femmes.

Qui est-il, ce vociférateur ? Rien de moins que le dieu dont le prophète des prophètes, Élie, n'a pas su discerner le passage dans un petit souffle de vent. Il se décrit « modestement » comme « le petit Juif qui a écrit la Bible ». Cependant il admet que dans toutes ces histoires qu'il a entendues et subies, les nations les unes contre les autres, les splendeurs et les misères, le seul moteur de l'Histoire, c'est encore l'amour, et c'est même « l'engin » de la survie (« *but love's the only engine of survival* ») (« The Future »). Voilà une esquisse rapide et sommaire de ce qui attend l'humanité – essentiellement l'Occident –, à moins que les gens, c'est-à-dire vous et moi, ne se repentent. Se repentir ? Le prophète déchaîné qui annonce et qui amène avec lui la fin de la civilisation ne sait pas ce que cela veut dire. Plus précisément, il ne sait pas ce qu'« ils » veulent dire par là. Il répète la formule plusieurs fois ; elle trouve également un écho chez les auditeurs. Mais cette répétition fait bien saisir qu'il s'agit précisément de cela : une formule vide, répétée de façon compulsive par les moralistes et disséminée par les télétechnologies. Cohen l'a enchâssée comme une petite mécanique sans effet dans l'emportement de son discours apocalyptique. Pour se repentir, encore faudrait-il savoir de quoi on parle.

La moralité n'est pas que l'affaire des moralistes. Le travail de l'artiste a également une certaine portée éthique. L'esthétique est une ligne de force qui forme système avec l'éthique et le politique. Leonard Cohen n'aborde jamais ces questions de façon aussi explicite : la chanson n'est d'ailleurs pas le médium pour le faire. Toutefois, il en traite volontiers par la bande, en passant et sans en avoir l'air. La chanson « A Singer Must Die » met en scène un jugement moins final que celui dont parle « The Future », et plus individuel, puisqu'il concerne le chanteur lui-même dans l'exercice de son métier. Ce n'est pas un jugement extraordinaire, de dimensions cosmiques, mais un procès sans histoire. « La cour est tranquille, mais qui passera aux aveux ? Est-il vrai que vous nous avez trahi ? La réponse est "Oui". Alors, lisez-moi la liste de mes crimes. Je demanderai la clémence que vous aimez refuser. » L'interrogatoire de l'artiste et sa seule présence provoquent dans l'assistance des émotions érotiques : « et toutes les dames mouillent, et le juge n'a pas le choix : un chanteur doit mourir à cause du mensonge dans sa voix ». L'artiste est à la barre comme une sorte de messie accusé par des compatriotes de bonne réputation devant un Pilate d'occasion. Le verdict est rendu d'avance : « un chanteur doit mourir ». Il ne s'agit pas nécessairement de ce chanteur-ci, « le » chanteur qui est jugé aujourd'hui. Le jugement est énoncé comme une sorte de loi générale, un proverbe, un dicton qui n'est pas remis en cause. Mourir pour le bien de plusieurs, de tous, pour le salut public ? Il doit surtout périr à cause des excès de sa voix d'or : elle est mensongère, par l'artifice de ses mensonges, elle est séductrice, comme en témoigne, dans cette cour et à l'occasion de ce jugement, les moiteurs qu'elle éveille encore dans la chair des dames de l'assistance. Elle est séduisante et elle énonce des faussetés. Le chanteur le reconnaît avec ironie quand il s'excuse d'avoir pollué l'atmosphère de la Vérité et de la Beauté par ses onomatopées insignifiantes, ses « la, la, la, la, la ». Toutefois, le séducteur admet que s'il y a une défense qu'il peut faire valoir en dernier recours, il faut aller la chercher dans la chair d'une femme aimée autrefois, mais qu'aujourd'hui il préférerait oublier. Ses arguments sont bien cachés « dans les anneaux de sa soie, dans l'articulation de ses cuisses, là où je devais aller mendier sous le déguisement de la beauté ». Ce n'est pas sans raison que sa voix et les histoires qu'elle raconte touchent encore les replis les plus intimes des auditrices.

Comme dans plusieurs textes de Cohen, l'histoire digresse en cours de route : le fil de l'intrigue se perd. Un personnage inattendu apparaît *in fine*, à la toute fin, comme une surprise, et donne un nouveau sens à ce qui s'est déroulé auparavant. Un personnage inquiétant, mafieux selon toutes les apparences : verres fumés, poing dans la figure, genou dans l'entrejambe. Et pourtant, ce bandit qui fait peur est l'incarnation de l'État, ou de qui que ce soit qui en tient lieu. Le chanteur incriminé se reconnaît coupable. Il avoue, il confesse. Il demande seulement qu'on veuille bien lui donner une place dans un tombeau modeste à dix dollars en compagnie des exhibitionnistes et des entremetteurs. Les femmes s'émeuvent encore et le juge n'a pas d'autre choix : il faut que meure ce chanteur à cause des mensonges dans sa voix.

En fin de vie, l'humain croit entendre une voix qui l'appelle, le convoque, le somme même à (com)paraître. Les gens sont destinés à mourir d'une façon ou d'une autre. Mais sont-ils pour autant « appelés » ? Y a-t-il un appel personnel, singulier, différent pour chacun, imprévisible, événementiel ? Et sur la décision de qui ? Quel appel (*call*) ? Appel extraterrestre, céleste ? « *And who, shall I say, is calling ?* » Dans le contexte d'un jugement, on ne peut pas éviter d'entendre les questions lancinantes de « Who by Fire ». La chanson est parue d'abord sur *New Skin for the Old Ceremony* (1971), a été reprise dans l'anthologie de 1975, *The Best of Leonard Cohen*, et demeure encore l'une de ses chansons les plus connues. Ce succès, aujourd'hui, lui vient en bonne partie des reprises qui en ont été faites et de l'évolution de son accompagnement instrumental. Lors des spectacles des dernières tournées, les instruments à cordes (violon, mandoline, oud) créent une atmosphère méditerranéenne, avec des sonorités à la fois juives, arabes, médiévales chrétiennes et même évocatrices du flamenco.

Ce contexte sonore prépare l'apparition du texte, mais c'est avant tout le surgissement d'une question. En anglais, le mot *who* (qui) se dit sur l'expiration de la voix et paraît sortir de nulle part. La question est pourtant répétée à tous les vers. Elle est lancinante en ceci que jamais aucune réponse n'est fournie. Elle l'est encore davantage parce qu'elle est redoublée par une interrogation sur qui pose la question : qui appelle ? Et le narrateur de la chanson, qui sert d'intermédiaire, qui fait passer les questions d'une source mystérieuse à ses auditeurs, ignore lui aussi quelle est cette source. Il en est réduit à demander à cette instance supérieure de lui révéler « qui appelle ? » afin qu'il en fasse part à son public. Le prophète, ici, relaie un message composé d'interrogations sans réponses, qu'il reçoit d'une source qui lui est inconnue ou qu'il n'est pas en mesure d'identifier. Il est dans la même situation d'ignorance que le public auquel le message est envoyé.

Ce grand interrogatoire, Leonard Cohen l'a connu par la liturgie juive du Grand Pardon (Yom Kippour). Il en fait mention dans les notes de son anthologie de 1975 : « *This is based on a prayer recited on the Day of Atonement.* » Le rituel de la synagogue a lui-même trouvé dans la Torah – au livre de l'*Exode*, auquel fait écho le psaume 69,2 – ce scénario d'un grand *Livre des vivants*, dans lequel Dieu inscrit les actions des humains pour en tenir compte au moment du Jugement dernier. L'amorce de l'énumération des fléaux se trouve chez le prophète Jérémie : « Maintenant, sachez-le, sachez-le : oui, par l'épée, par la famine, par la peste, vous mourrez au lieu [l'Égypte] où vous désirez venir pour résider là. » (*Jérémie* 42,22) Ce *Livre des vivants* est censé contenir le sort de chaque pécheur, de telle sorte que chacun peut le lire mais ne peut pas en changer un seul mot. Toutefois, la prière du Grand Pardon laisse entendre

201

que les humains peuvent modifier le cours des choses par le repentir (la conversion), la prière, la justice.

Pareils aux moutons comptés par leur berger,
les hommes et leurs actes sont scrutés par Toi;
Tu fixes le délai pour chaque vivant et Tu décides de
*   son sort.*
À Rosh ha-Shanah, Tu l'inscris et à Kippour Tu
*   apposes ton sceau:*
À savoir: combien quitteront ce monde et combien y
*   entreront.*
Qui vivra et qui mourra, qui à la fin de ses jours, qui
*   prématurément,*
qui par le feu, qui par l'eau, qui par la guerre, qui par
*   l'épidémie.*
Qui mènera une vie sédentaire et qui sera nomade.
Qui sera serein et qui sera tourmenté.
Qui sera élevé et qui sera abaissé.
Qui sera fortuné et qui sera indigent.

Sur un rythme de danse, la chanson déroule la longue liste des possibilités de fin de vie. Celles-ci sont groupées par deux et exposent les situations les plus variées: dans le cadre de la nature, de la vie courante, de la vie sociale. Le chanteur ne manque pas de donner une coloration contemporaine à ces possibilités de phases terminales qui surviendront inévitablement dans la joie, le plaisir, la souffrance, l'angoisse, le désespoir. Par ailleurs, l'énumération, tout comme la musique, est portée par une certaine légèreté ou une certaine insouciance suggérée par «le joyeux mois de mai ». À la fin de chaque strophe, la mélodie descend vers le point d'orgue de la question : « Who, shall I say, is calling ? »

C'est dire que la chanson ne connaît pas de conclusion heureuse ou malheureuse. La question demeure en suspens et continue de résonner dans le silence. Alors que la prière à la synagogue laisse entrevoir une réaction humaine possible face au destin qui menace, « Who by Fire » laisse les auditeurs perplexes. L'appel (*call*) garde toute l'épaisseur de son mystère. De fait, ce n'est pas tant l'appel lui-même qui est mystérieux que l'identité de l'interlocuteur. On le connaît assez, on connaît assez sa puissance et ses pouvoirs, d'après la longue liste des situations définitives qui lui sont attribuées. Seulement, qui il est « lui-même », cela, on ne le saura pas. L'artiste laisse à la religion ce genre de réponse et de consolation. S'il y a un pas à franchir dans cette direction, il reviendra aux auditeurs de le faire de leur propre gré.

Il s'agissait, dans la liturgie juive et dans la chanson qui s'en inspire, du destin des individus. Cohen est également préoccupé par une fin des temps. « Il y a, dit-il, un jugement redoutable qui s'en vient, mais il se peut que je me trompe. » (« Tower of Songs ») Il garde une certaine réserve : après tout, ce n'est peut-être qu'une illusion parmi toutes celles qu'on entend, dans ce donjon, dans cette tour à chansons. Toutefois, un jour, « le » jour, le fil eschatologique sous tension devrait casser et une apocalypse finale marquer alors la fermeture brutale et définitive de tous les marchés. Cependant, les événements décisifs repérables dans l'Histoire sont apparus en accéléré dans l'ère contemporaine. On s'est rendu compte qu'il pouvait survenir plusieurs apocalypses et qu'aucune d'elles n'était vraiment finale. Toujours, l'humanité rebondit d'une façon ou d'une autre, et la roue de la fortune ne cesse de tourner. Pis encore, il est apparu que le caractère tranché de l'apocalypse pouvait se déliter dans une pourriture quasi imperceptible et que, en dépit de toutes les rages, de toutes les aspirations et de toutes les révolutions, tous demeurent englués dans la même toile poisseuse. Sans qu'il soit possible d'identifier une quelconque araignée ou superpuissance, capitaliste ou autre, contre laquelle la rébellion serait possible et à laquelle le tranchant d'une guillotine pourrait mettre fin.

Cohen semble partager le point de vue assez répandu d'une décadence, d'un déclin de l'Occident, qui devrait aboutir à une catastrophe. En entrevue, il parle d'un déluge qui s'en vient, reprenant ainsi une figure très classique d'anéantissement, et il n'entrevoit pas d'issues heureuses à la tempête annoncée. Après septembre 2001, un journaliste lui aurait demandé ce qu'il pensait des événements de New York, lui qui les avait pour ainsi dire prophétisés dans sa chanson « The Future ». Dans un premier temps, le chanteur a répondu en poursuivant la voie ouverte par sa chanson. « La tradition juive, dit-il, met en garde contre le fait de chercher à consoler la personne inconsolable, alors qu'elle est encore au milieu de son épreuve. » Le journaliste insiste, voulant obtenir une réponse davantage en rapport avec la situation, une parole claire et plus engagée. Cohen refuse cependant de se risquer à des considérations plus précises et plus pratiques. Bien au contraire, il déporte la conversation vers des généralités métaphysiques de la tradition hindoue : « Il nous est impossible, dit-il, de discerner le modèle (*pattern*) des événements et le dévoilement (*unfolding*) d'un monde qui n'est pas entièrement de notre fait. » (Simmons : 434) Cette impossibilité est réelle pour qui a une sorte de vue aérienne et éternelle des situations de l'histoire des humains. Dans ses chansons et dans ses poèmes, cependant, dans ses contes et ses aphorismes, le poète n'est pas tenu de voler à ces hauteurs raréfiées. Il est plongé, comme ses contemporains, dans la mêlée de sang, de sueur et de larmes qui est le lot des mortels. Les paroles du poète, dans sa chanson « The Future », ont une liberté plus grande et une plus grande humanité que les articulations philosophiques du citoyen désemparé, comme tout le monde, devant la survenue de l'impensable.

C'est un point de vue semblable qu'il exprime quand il écrit ailleurs : « Nous allons vers une époque d'ahurissement, un moment curieux où les gens trouvent de la lumière au milieu du désespoir et du vertige au sommet de leurs espoirs... » (« Vers une époque », *Livre du constant désir*) Par ailleurs, toute révélation ne vient pas d'en haut, d'une voix qui tombe alors que les cieux s'ouvrent et qu'il en descend des rayons redoutables. Elle ne vient pas non plus exclusivement de l'intérieur, comme chez cette Jeanne d'Arc qui entendait des voix, « ses » voix, disait-elle aux juges. Il court, à la portée de tout un chacun, une révélation

205

banale, celle qui est diffusée tous les jours par les médias : la révélation médiatisée. Et, par la même occasion, une révélation qui se consomme et divertit. C'est dans ce contexte et en ce sens que la chanson de Cohen « Everybody Knows » peut énoncer que tout est connu de tous, sous toutes les latitudes : « tout le monde (le) sait ». Non seulement les événements politiques ou les faits divers, mais même les choses les plus intimes sont passées, fragmentées, grossies, déformées, dans le domaine public. Non seulement chacun sait tout, mais également tout le monde sait tout ce qu'il y a à savoir sur chacun.

> *Tout le monde sait que tu m'aimes, bébé*
> *Que tu m'aimes pour vrai*
> *Que tu as été fidèle*
> *Si on ajoute ou on enlève une nuit ou deux*
> *Que tu as été discrète*
> *Mais il y avait tant de monde*
> *Que tu devais rencontrer sans rien sur le dos.*

Puisqu'il est inéluctable, un jugement à la fin des temps devrait concerner tout le monde. Pourtant, ce qui préoccupe davantage chacun d'entre nous, c'est plutôt sa fin propre, sa propre mort. La chanson « Going Home » (*Old Ideas*) décrit cela comme un retour à la maison. « Je m'en vais à la maison, sans mon chagrin, un moment donné, demain, là où c'est mieux qu'avant, je m'en vais à la maison sans mon fardeau, derrière le rideau, à la maison, sans le costume que je portais. » Et dans un poème, un interlocuteur invisible, un vieil ami disait de lui :

J'ai presque 90 ans
Toutes mes connaissances ont fini par mourir
à part Leonard
On peut encore le voir
qui boitille avec son amour.

(« Examen final », p. 239)

Cohen n'aime ni le pathos ni les démonstrations exagérées d'émotion. Pas plus pour la mort que pour l'amour : «Ne fermez jamais les yeux et ne secouez pas la tête quand vous parlez de la mort. Ne me fixez pas de vos yeux brûlants quand vous parlez de l'amour.» («Comment parler la poésie», p. 230) En évoquant ce «retour à la maison», de façon discrète et simple, il s'en remet à l'expression populaire du negro-spiritual «Swing low, sweet charriot» quand il demande : «montre-moi le lieu / où tu veux que ton esclave aille / parce que ma tête s'incline.» («Show Me the Place») Cette chanson comporte l'évocation d'une résurrection possible. Sans doute ne s'agit-il pas d'une résurrection au sens où l'entendent les théologies, mais Cohen reprend explicitement le scénario de la sortie du tombeau quand il chante : «aide-moi à faire rouler cette pierre / [...] seul je suis incapable de faire bouger cette chose / montre-moi le lieu où le mot [le verbe] devint un homme». Dans ce lieu obscur, il semble bien que la lumière ne pouvait pas pénétrer. Mais plus haut dans le texte, le personnage évoque les temps durs par lesquels il est passé. Dans ces moments de troubles, dit-il, j'ai sauvé ce que j'ai pu, un lambeau de lumière, une particule.

Dans un autre passage également, tout aussi sombre et désespéré, le chanteur a établi une association très forte entre cette apparition d'une infime onde lumineuse et la faille, la fêlure, l'ouverture, l'interstice qui réussit à entamer les parois les plus épaisses. Il en fait même une sorte de proverbe que nous avons déjà cité: «Dans toute chose, dit-il, il y a une fente: c'est par là qu'arrive la lumière.» Et cette fêlure, il faut même la provoquer, la faire apparaître. Cohen reprend les injonctions d'une religion qui est passée au-delà des sacrifices, des efforts personnels, des mérites. «Oublie ton offrande parfaite, ce n'est pas cela qui plaît au dieu et ce n'est pas cela qui t'apportera la lumière.» La saveur de la sagesse ne se goûte pas sans fracture, sans cassure. Il faut des cœurs brisés: «*the heart has got to open*» («Democracy»).

Lors de l'enfermement au tombeau, aucune lumière ne pouvait filtrer à moins que quelqu'un ne roule la pierre. Mais dans la chambre des amoureux, la lumière entre à flots.

> *La lumière est entrée par la fenêtre*
> *tout droit depuis le soleil en haut*
> *et ainsi, dans ma petite chambre*
> *ont plongé les rayons de l'Amour.*

(«Love Itself»)

Dans la suite du texte, ces rayons sont associés à la création du monde, à une genèse: la lumière permet de voir les grains de poussière qui tourbillonnent dans l'air. De cette poussière, Celui qui est sans nom crée un Nom. Dans cette pièce étrange, l'amour a fait irruption, il a créé, il a donné, puis il est parti. C'était comme une vision, une perception fugace qui n'a pas duré. Quand il est revenu à lui, la poussière est apparue aux yeux de l'amant pour ce qu'elle est, poussière, et, l'amour parti, il ne restait plus aucune connexion entre le Sans-Nom et celui qu'Il avait nommé, amené à la lumière.

> *Alors je suis revenu d'où j'étais allé*
> *Ma chambre semblait la même*
> *Mais il ne restait rien*
> *Entre le Sans-Nom et le Nom.*

Pas de politique, est-ce possible ?

Les thèmes dont il a été question dans la section précédente avaient déjà une portée politique évidente. Il faut les garder à l'esprit au moment de s'intéresser aux aspects donnés comme plus explicitement politiques dans les chansons de Cohen. Pas de politique : est-ce possible ? Au départ, on observe une participation assez conventionnelle à ce qu'on appelle chanson engagée, associée à deux titres : « Le partisan » et « Un Canadien errant ». Son cinquième album, *New Skin for the Old Ceremony* (1974), serait le plus militant. Il est intéressant de mettre en rapport le caractère plus politique des textes avec l'illustration de la couverture : un couple d'amoureux ailés tiré du *Jardin des philosophes*, un livre sur l'alchimie. Cette interaction entre l'érotique et le politique est formulée de façon plus explicite dans ce passage de « Democracy » :

> *Ça arrive de la part des femmes et des hommes*
> *Ô bébé, nous ferons l'amour encore*
> *Nous nous enfoncerons si profond*
> *Que la rivière en pleurera*
> *Et que les montagnes crieront : Amen !*

Le déluge, dans ce contexte d'amour et de fécondité, n'est plus la menace archaïque, mais un autre signe de renouveau donné par la nature :

> *Ça arrive comme la marée*
> *Dessous le bercement de la lune*
> *Impérial, mystérieux*
> *Dans un déploiement amoureux :*
> *La Démocratie arrive aux U.S.A.*

L'instauration du régime politique est en prise directe, par le biais de l'érotisme, sur le phénomène cosmologique inévitable, inéluctable. L'activité des humains est en quelque sorte l'enregistrement érotique de la secousse sismique, de la vague qui prend et emporte les amoureux voguant sur leur lit, au creux de leur chambre d'amour. Cohen commente ce passage :

Cela implique donc un appétit profond, très profond qu'on ne peut pas nier, et en ce sens, on peut
avoir de l'espoir, même s'il y a un sens de menace.
La marée est là, elle est renversante et elle fait
disparaître plusieurs repères et lumières dont on
dépendait et qui semblaient être des indications
de ce que l'on pensait être la démocratie et la
civilisation.

(Entrevue avec Cindy Bisaillon, *Shambala Sun*)

La veine politique court également dans « Anthem »,
qui précède « Democracy » sur l'album *The Future*. On
peut penser que les deux chansons forment un dip-
tyque, qu'elles se complètent ou qu'elles se répon-
dent. Le mot *anthem* signifie littéralement « antienne »,
et conserve une connotation qui renvoie au chant
liturgique. Une antienne est une sorte de prélude
qui précède le chant d'un psaume et lui donne une
coloration particulière en fonction de la fête du
jour. Mais c'est un mot qui appartient également au
lexique politique, quand il est précédé de l'adjectif
« national ». « National Anthem », c'est l'hymne national. Cohen n'a pas déterminé le sens dans cette direction. À l'ouverture très paisible convient mieux le
premier sens, alors que le deuxième s'imposera peut-
être à mesure que la chanson se développe.

Le premier vers est comme un écho de la première
phrase de « Bird on the Wire ». Les oiseaux chantent
à la barre du jour. Non seulement chantent-ils, mais
comme dans les chansons de folklore, ils donnent
des conseils :

Recommence
Les ai-je entendus dire
Ne t'appesantis pas sur ce qui
Est passé
Ou ce qui est encore à venir.

Des exemples sont donnés de ce qui fut et qui sera encore, ainsi que le disait Qohélet dans les *Paroles du sage* : « Les guerres, elles seront livrées à nouveau ; la colombe sainte, elle sera attrapée à nouveau : achetée et vendue, et vendue encore, la colombe n'est jamais libre. »

Le premier chorus est une exhortation plus directe, plus forte. Il ne s'agit plus simplement de répéter les dictons de la sagesse populaire. Il faut entreprendre une action collective pour changer le cours de choses. Il y a les conseils que donnent les oiseaux, mais la conduite des affaires des hommes est autre chose. C'est un appel à sonner les cloches, celles qui sont encore en état de sonner, de se faire entendre. Pourquoi sonner les cloches ? Pour annoncer l'allégresse de la liberté ? Ou est-ce au contraire un tocsin qui signale le danger et appelle à la mobilisation, un glas, peut-être, qui annonce la fin, qui prélude à la sonnerie du shofar ou de la trompette, la sonnerie qui sera finale et sans réplique, l'arrivée du Jour de la reddition des comptes ?

Cela pourrait être un appel, une convocation à la liturgie : les gens accourent avec leurs offrandes, choisies et approuvées selon les innombrables prescriptions et interdits des religions. Cohen en a appris les complexités dans la Torah et ses commentaires. Il passe outre aux enseignements les plus anciens et poursuit les avancées proposées par les prophètes : une religion des cœurs brisés. Pendant que sonnent les cloches, le commandement nouveau est donné : oublie ton offrande parfaite. Ce n'est pas par la perfection des offrandes ni par leur raffinement que les changements surviendront. C'est par la cassure, la blessure, la fêlure. Il n'y a pas à la provoquer, à la faire apparaître : elle est déjà là. En toute chose il y a une fêlure, une fente : c'est par là qu'entre la lumière. Il faut la reconnaître, l'assumer, ne pas tenter de l'obstruer, de la colmater. Cette consigne est adressée au fidèle qui vient apporter son offrande. Par extension, on peut croire qu'il n'y a pas non plus de démocratie sans faille, sans fêlure, sans rupture. Dès qu'il y a nombre, dès qu'il y a expression des opinions, comptage des voix, il ne peut qu'y avoir dissension, distension jusqu'à un point de rupture. Telle est la démocratie dans son essence et dans sa pratique. Cohen aimait la comparer à une religion, la plus grande religion que l'Occident ait produite. Il y avait une pointe cachée dans ce parallèle. En entrevue, Cohen cite volontiers cette phrase attribuée à Chesterton : «La religion, c'est une idée magnifique : dommage que personne ne l'ait jamais essayée.» (Simmons : 391) Et au binôme religion et démocratie il lui arrive d'ajouter l'art.

> De ce temps-ci, disait-il, il y a beaucoup de confusion entre l'Art et la Religion. Puisque la

213

religion a laissé tomber tant de monde, les gens se tournent vers l'Art pour leur salut. Je leur souhaite bonne chance dans cette entreprise.

(Megamix, 1992, entrevue)

Peut-être la démocratie pourrait-elle arriver sous les traits d'une religion athée, d'un messianisme sans Messie. Autrement dit, sans la prédominance d'un meneur, *leader*, *duce* ou *führer*, mais grâce à une foule de messies, tous aussi anonymes les uns que les autres. Une assemblée d'anonymes (d'*Anonymous*, peut-être), tous aussi perdus dans la foule, rassemblés peut-être par le magnétisme de l'art encore parcouru d'une vieille veine religieuse. Pour un spectacle, par exemple, celui d'un chanteur canadien juif de Montréal. S'il devait tout de même émerger une figure déterminante de cette foule de semblables, cet individu serait aussi ordinaire que les modèles sans grâce et sans charisme recherchés par Rembrandt dans les quartiers pauvres, quand il voulait peindre la figure du Christ. Le message de cette esquisse de discours à saveur messianique serait somme toute que, s'il doit y avoir de la messianicité, c'est-à-dire du « salut », ce ne peut être que par la venue dans le monde de tout anonyme de bonne volonté. S'il en est ainsi, pourquoi garder la référence marquée au messie et au messianisme, si ce n'est parce que l'œuvre de Cohen est tout alimentée par la culture juive. Dans un poème, il prie pour ce messie anonyme :

Ô chante dans tes chaînes enchaîné dans une caverne
tes yeux par mes yeux brillent plus clair que l'amour
ton sang dans mon chant fait s'écrouler la tombe.

(«Prière pour le Messie», p. 17)

Quand il chante «Anthem», cependant, Cohen ne donne pas à la religion en place un rôle très glorieux. Vers la fin, le ton est nettement plus virulent et même violent. «Je ne peux plus courir avec la foule sans loi / Pendant que les tueurs haut placés disent tout haut leurs prières / mais ils ont amassé un ciel d'orage / et ils vont m'entendre.» Colère agressive contre les puissants et résistance passive face à la culture du divertissement télétechnologique :

Je ne suis ni de gauche ni de droite
Je reste tout simplement à la maison ce soir
À me perdre dans ce petit écran sans espoir
Mais je suis têtu comme ces sacs d'ordures
Que le temps ne peut pas décomposer
Je suis de la cochonnerie, mais je brandis encore
Ce petit bouquet sauvage.

(«Democracy»)

Le porte-parole de l'assemblée a tenu compte de l'avis des oiseaux, il a fait sonner les cloches qui pouvaient encore résonner, il a convoqué les fidèles et leur a enseigné ce qu'était le vrai sacrifice qui laisse entrer la lumière. Toutefois, le rassemblement ne suffit pas pour constituer une communauté. Dans le dernier chorus, le chanteur constate que les parties mises bout à bout ne forment pas un tout. Et que tu peux bien ordonner une marche : il n'y a pas de tambour pour battre le rythme. Le destin politique ne se fera pas par des démarches volontaristes, des roulements de tambours, le chant d'hymnes nationaux. Que reste-t-il alors de cette tentative d'un nouveau commencement annoncé par les oiseaux en ouverture de la chanson ? Il reste l'initiative de chaque cœur individuel brisé, crevassé, qui finira par se mettre en marche vers l'amour. Mais il y viendra en solitaire et à titre de réfugié. Appelé, peut-être, au moins par une voix intérieure, qui lui ferait entendre cette modulation du discours du Nazaréen aux pauvres de cœur assemblés devant lui :

> *Ô rassemblez les brisés*
> *et amenez-les moi maintenant*
> *[...]*
> *les échardes dans votre chair,*
> *la croix que vous avez laissée derrière,*
> *[...]*
> *vienne la guérison du corps,*
> *vienne la guérison de l'esprit.*

(« Come Healing »)

Cet appel fait surgir une image très contemporaine des boat-people, des refoulés aux frontières, des clandestins. Trouveront-ils des Suzanne qui leur offriront du thé et des oranges venues de Chine ?

La condition d'exilé est familière aux descendants d'Abraham et à quiconque a assimilé au moins une part de la culture juive. Cette réalité, qui a été vécue plusieurs fois et de multiples façons, porte un nom exemplaire et indélébile : celui de la ville de Babylone. Les Juifs y furent déportés en trois vagues : 597, 587 et 582 avant notre ère. Cet exil fut vécu dans les larmes, les sanglots inconsolables. Cette déportation fut le choc absolu, la fin du monde connu. Les prophètes y avaient fait allusion depuis des décennies. Cependant, pour les rois et pour les Israélites en général, les prophètes annonçaient un malheur impossible. Impossible que tombe jamais Jérusalem, impossible que l'Éternel abandonne sa ville, son lieu de résidence, le Temple édifié par Salomon le sage sur l'emplacement choisi par son père, David, le chantre des psaumes. Se pouvait-il que cette sortie violente soit la contrepartie ironique et cruelle de la sortie triomphante d'Égypte entre les eaux de la mer fendue en deux par Moïse ? À l'époque ancienne des patriarches, Yacov et ses fils étaient venus s'établir au pays des Pharaons. Mais ils y étaient venus de leur plein gré, si on peut dire, dans une tentative ultime d'échapper à la famine qui ruinait leurs terres. Cette fois-ci, au moment de la défaite, il s'agit d'un enlèvement guerrier. Les Juifs sont emmenés captifs, prisonniers. Et c'est en tant que tels qu'ils sont déportés en terre d'exil, dans cette ville de Babylone, qui deviendra l'archétype de la ville étrangère. Alors qu'elle était déjà renommée comme ville scandaleuse, ville de la débauche et du péché, dont la réputation détestable dépassait celle de Sodome et Gomorrhe.

Le Juif est arraché à sa terre, à sa Ville sainte. Il en garde une blessure, une plaie vive que rien ne peut guérir. Il se lamente, il se plaint. Comme l'amoureux, il reconnaît, il confesse que la perte est réelle, que le temps n'arrivera pas à guérir cette plaie dont parle le poète («Ain't No Cure for Love»). En contrepartie, l'exilé multiplie les serments de fidélité à la mémoire de Jérusalem. Plus que tout autre chose, ce que les déportés redoutaient était de céder à la tentation permanente de l'oubli. «Si je t'oublie, Jérusalem, chante un psalmiste, que ma langue s'attache à mon palais.» (psaume 137) Tentation d'oublier, certes, mais aussi de faire taire son chagrin, de l'endormir afin de se livrer sans tourments, corps et âme, à tous les plaisirs dont regorgeait Babylone. C'est à cela qu'elle excelle, la grande cité mésopotamienne. Elle en est la maîtresse absolue. Jean, le grand solitaire de l'île grecque de Patmos, la voit comme la grande courtisane, la mère et l'archétype de toutes les prostituées:

> vêtue de pourpre et d'écarlate et chamarrée d'or, de pierre précieuses et de perles, avec une coupe d'or à la main, pleine d'horreurs, et les impuretés de sa prostitution, et sur son front un nom écrit, un mystère: Babylone la grande, la mère des prostituées et des horreurs de la terre.
>
> (*Apocalypse* 17,4-5)

Quel petit Juif pourra résister à ses charmes, aux ondulations de ses hanches qui dansent le baladi?

Parmi les psaumes, le cent trente-septième est donc celui qui évoque de la façon la plus saisissante les sentiments éprouvés par les exilés à Babylone. C'est un texte très fort, violent même dans l'expression extrême des sentiments d'amour pour la Ville sainte et de haine pour la Grande Prostituée. Ses premiers vers : « au bord du fleuve, nous étions assis et nous pleurions / aux branches des saules, nous avions suspendu nos instruments », forment le canevas de la chanson « By the Rivers Dark ». Le voyageur (*wanderer*), le promeneur ou l'égaré se retrouve sur les rives de l'Euphrate. À l'image des eaux sombres et profondes, son cœur est troublé, attristé par l'exil et angoissé par la trahison qui le guette. « Je le confesse, dit-il, j'ai oublié ma chanson sainte. Et d'ailleurs, elle n'avait aucune force, à Babylone : c'était une parole vaine, inefficace, sans résultat. Et Lui, Il m'a coupé la lèvre, le cœur : je n'ai pas pu boire les eaux amères du fleuve ». Cette coupure est une sorte de circoncision, comme celle que dans une autre scène un autre ange avait imposée au fils de Moïse, Çipporah (*Exode* 4,24-26). Mais cette fois-ci, c'est une circoncision qui libère la parole. Le roi David, dans son psaume de repentir, n'avait-il pas écrit : « ouvre mes lèvres et ma bouche annoncera ta louange » ? Non seulement il m'a coupé, poursuit le narrateur de la chanson, mais il m'a donné des yeux pour voir en moi : mon cœur sans foi ni loi, mon anneau de mariage dérisoire. Lui qui est comme un chasseur – « je ne pouvais pas voir qui m'attendait là, qui me traquait là » – m'a également frappé au cœur, en disant : « ce cœur n'est pas le tien », et il a jeté mon alliance au vent.

À ce scénario du monologue au bord du fleuve, Cohen greffe une autre scène, un décalque de la lutte du patriarche Yacov et de l'ange.

> Yacov reste seul. Un homme lutte avec lui jusqu'à la montée de l'aube, et il voit qu'il ne peut rien contre lui. Il le touche au creux de la cuisse, et le creux de la cuisse de Yacov se démet dans sa lutte contre lui. [...] Le soleil brille lorsqu'il passe Penouel : il boite de la cuisse.
>
> (*Genèse* 32,25-26 et 32)

Une bataille qui s'est également terminée à l'aube, comme celle que vit le narrateur, une aube blessée. Le patriarche, père des douze tribus d'Israël, en avait gardé une luxation de la hanche qui le faisait boiter. « Bien que ma chanson, poursuit le poète, vienne d'une branche rabougrie, la branche et l'arbre tout entier chantent encore pour Lui. » La chanson semble prendre le contre-pied du psaume : il ne s'agit pas tant de la menace que représente l'oubli de la Ville sainte, mais plutôt de celle d'une vie installée pour de bon dans la ville pécheresse. C'est là, dit-il, que je vis ma vie, et cette Babylone moderne, qui garde encore les traits de l'ancienne, fictive et fabuleuse, est sans doute une figure de l'Amérique en général. C'est un lieu d'exil et c'est un lieu d'errance, un lieu d'itinérance. Sans aires de repos, sans espaces sacrés ou hospitaliers. La seule chose vivante qui subsiste de la culture de la Ville sainte, c'est cette chanson presque desséchée, presque brutalement revigorée par un corps à corps avec le Sans Nom, sur la berge des eaux sombres. Qu'il s'agisse des cités antiques, Jérusalem ou Babylone, Athènes ou Rome, ou bien des villes modernes ou ultramodernes, Londres, Paris, New York, Montréal, Tokyo, Shangai, Cohen voudrait qu'elles soient habitées et civilisées. Que la cité soit le lieu d'un vivre ensemble, d'une convivialité, dont chacun aurait le souci, en dépit des désillusions, des trahisons et des lâchetés quotidiennes.

Sur l'album *The Future*, on l'a déjà fait remarquer, l'avenir est sombre. Y en a-t-il seulement un, à mesure qu'approche l'heure de la fermeture du grand bar ? Puisque tout un chacun est au courant de tout, si quelque chose doit changer dans le monde, dans la cité, il faudra bien que tout un chacun y mette du sien. Cohen a lu les apocalypses juives qui ont inspiré les chrétiennes, puis connu toutes les apocalypses cinématographiques ou autres de la culture contemporaine. Il existe une littérature puissante et florissante dans les époques de catastrophes, d'incertitude, un genre littéraire destiné à briser l'embâcle de ces situations bouchées, sans issue, dans les contextes d'oppression, d'invasion, d'occupation. Le chanteur ne sombre toutefois pas dans la sentimentalité ni dans l'hystérie. Il n'appelle pas sur la terre les feux et les flammes du ciel. Si jamais les flammes, la foudre et le soufre devaient tomber de la voûte, si la cité devait connaître le sort qui fut réservé à Sodome et Gomorrhe, il se peut que l'amour soit encore la dernière ressource, l'ultime recours. C'est

même certain. Abraham avait négocié qu'une poi-
gnée de justes, une dizaine, ou même un seul, pourrait détourner la colère de la cité. Le chanteur n'a pas
le prestige du Père des croyants, et il ne recourt pas
au marchandage du patriarche. Il va plutôt dans le
même sens que le peintre Chagall. En dépit de tout
et quoi qu'il arrive, il continue de chanter des couples
d'amoureux aériens qui persévèrent dans leur étreinte
et dans leur danse, s'encourageant les uns les autres :
« fais-moi danser jusqu'à la fin du monde ». Jusqu'au
sein de la fournaise, comme autrefois Daniel et ses
compagnons. Autant dire : la fin du monde arrivera
quand nous ne danserons plus.

Conclusion

Les chansons de Cohen sont-elles phagocytées par le divertissement? Sont-elles un volet parmi tant d'autres des quêtes de sens, de salut, de guérison? Les mots du poète sont là, ils existent, ils sont porteurs. L'artiste estime, quant à lui et selon les traditions juives, que les mots, dont les siens, jouissent d'une efficacité certaine dans la vie sociale. Quant au reste, il revient aux auditeurs d'en faire quelque chose dans leur vie personnelle et dans l'aventure collective. Il revient aux auditeurs de les faire passer dans la vie courante.

À l'ouverture de ce livre, on a cité le philosophe Theodor Adorno sur les modalités d'écriture de l'essai. Au moment de conclure, il convient de rappeler avec lui qu'un essai « part de ce dont il veut parler; il dit ce que cela lui inspire, s'interrompt quand il sent qu'il n'a plus rien à dire, et non pas quand il a complètement épuisé le sujet: c'est pourquoi il se range dans la catégorie des amusettes » (Adorno : 6). C'est donc dans ces conditions de modestie et d'autodérision que se termine cette traversée de l'expérience de Leonard Cohen telle qu'il l'a mise en forme dans ses chansons et ses poèmes. Quant au contrat d'écriture qui avait déterminé les paramètres de cet essai, je me rends compte que la réponse à la demande se trouvait dans la demande elle-même. Tout compte fait, il ressort de notre écoute des chansons de Cohen, avec une oreille tendue vers les harmoniques que les valeurs y font entendre, que c'est en effet seul l'amour qui commande.

Un amour enflammé, expressif et lascif, autant celui qui se pratique dans les chambres d'occasion que celui qui fut chanté dans le *Chant des chants*. Un amour combatif et combattant, pugnace et parfois cruel, sinon meurtrier. Dans le contexte d'une culture de sagesse qui aime les paroles de sages, il faut entendre ce vieil adage qui dit que «l'amour vainc tout»: l'amour est toujours vainqueur. Ce qui peut sembler une banalité niaise, risible et insultante même pour ceux et celles qui font l'expérience d'amours brisées, de cœurs broyés, de promesses rompues par toutes sortes de trahisons. La parole des sages est en effet souvent indigeste, insipide et peu nourrissante. Mais il y aurait sans doute du vrai tout au fond: la question à se poser étant sans doute celle de la nature ou de la qualité de l'amour «lui-même»: «*love itself*». Cohen en a fait l'expérience et il en a témoigné: le couple d'amoureux ailés dont il avait imagé *New Skin for the Old Ceremony* est associé à l'alchimie. Il y a de la magie, dans l'amour. Mais les merveilles de cette alchimie sont obtenues par des processus d'incandescence dont le sort de Jeanne d'Arc demeure la meilleure illustration: fallait-il que ce soit si lumineux? Fallait-il que ce soit si cruel?

Je ne sais pas encore, chère France, si j'ai répondu à tes attentes. J'espère, à tout le moins, n'avoir en rien amoindri ton affection pour Leonard Cohen. J'espère également que d'autres l'aimeront aussi et voudront écouter ses chansons avec encore plus d'attention, de curiosité. Et que nous vivrons de façon conséquente, à la fois plus sages, prophètes peut-être, amoureux, certainement.

Note sur la traduction des textes

La poésie des chansons de Cohen est classique. Le chanteur respecte les codes les plus connus de la versification : le rythme, les rimes ou les assonances, les figures de style, la métaphore, etc. En particulier, cette poésie est imprégnée de la culture juive dans laquelle s'est formé le chanteur. Elle est donc lourde de références, parfois explicites parfois allusives, qui pourraient la rendre obscure pour bien des auditeurs. Il faut les conserver et les faire entendre, même si cela exige parfois de fournir une mise en contexte plus élaborée. Le poète tire parti de certains mots, qu'il utilise fréquemment, et qui sont importants à la fois pour leur signification et pour leurs sonorités (*shadow, broken, brokeness, call, naked...*). Ces mots se regroupent par chaînes qui dessinent et délimitent des champs thématiques, des champs de signification. Ce qui rend la traduction française difficile. Les amateurs francophones peuvent trouver plusieurs exemples de traductions des chansons dans des livres ou sur des sites internet consacrés à Cohen. Pour l'écriture de cet essai, cependant, j'ai préféré traduire moi-même les passages que j'ai cités, sauf quelques exceptions indiquées dans le texte (toutes les citations de *étrangère musique étrangère* sont empruntées à la traduction de Michel Garneau). Pour toutes sortes de raisons, la traduction se précipite souvent vers un sens, un message. Elle assigne ainsi une destinée et une destination aux vers des poèmes, aux paroles des chansons. Ce faisant, elle en gomme les aspérités, en affadit les couleurs et, parfois, elle verse dans le contresens. Pour ma part, j'ai pris le parti d'un certain caractère littéral, collé au texte du poète. Qui respecte la disposition des mots dans la phrase et qui assume les répétitions et les fait entendre, sans chercher à substituer des synonymes qui donneraient plus de variété au texte. De même pour la concordance des temps des verbes. Quant aux assonances, nombreuses et significatives pour le sens et importantes pour la musicalité des chansons, il est quasiment impossible de les rendre en français. Elles sont parfois conservées entre parenthèses. Ces quelques bribes de traduction ne visent évidemment pas le chant. Elles peuvent être parfois des paraphrases, des développements du texte original dont la concision ne peut pas passer en français. Cette extension des poèmes vers la prose n'est pas trop contraire au talent de conteur de Cohen.

Documents cités

Discographie (Columbia)

1967 : *Songs of Leonard Cohen*
1969 : *Songs from a Room*
1971 : *Songs of Love and Hate*
1973 : *Live Songs*
1974 : *New Skin for the Old Ceremony*
1975 : *The Best of Leonard Cohen*
1977 : *Death of a Ladies' Man*
1979 : *Recent Songs*
1984 : *Various Positions*
1988 : *I'm Your Man*
1992 : *The Future*
1994 : *Cohen Live*
1997 : *More Best of Leonard Cohen*
2001 : *Field Commander*
2001 : *Ten New Songs*
2002 : *The Essential Leonard Cohen*
2004 : *Dear Heather*
2008 : *Live in London*
2010 : *Songs from the Road*
2012 : *Old Ideas*

Bibliographie

Adorno, Theodor. «L'essai comme forme», *Notes sur la littérature*, Paris, Flammarion, 1984.

Baudelaire, Charles. *Mon cœur mis à nu; Fusées; Pensées éparses*, Paris, Librairie générale française, 1972.

Chouraqui, André (traduction et présentation). *La Bible*, Paris, Desclée de Brouwer, 1985.

Cohen, Leonard. *Book of Longing*, Toronto/Montréal, McClelland & Stewart, 2006. Traduit en français par Michel Garneau, *Livre du constant désir*, Montréal, l'Hexagone, 2007.

———— *Stranger Music: Selected Poems and Songs*, Toronto, McClelland & Stewart, 1993. Traduit en français par Michel Garneau, *étrange musique étrangère*, Montréal, l'Hexagone, 2000.

Meschonnic, Henri. *Gloires: traduction des psaumes*, Paris, Desclée de Brouwer, 2001.

———— *Les cinq rouleaux*, Paris, Gallimard, 1970.

Nerval, Gérard de. *Les filles du feu; Les chimères*, Paris, Flammarion, 1970.

Péguy, Charles. « Rouen », *Œuvres poétiques complètes*, Paris, La Pléiade, 1957.

Platon. *Le banquet*, présentation et traduction inédite par Luc Brisson, Paris, Flammarion, 2000.

Simmons, Sylvie. *I'm Your Man: The Life of Leonard Cohen*, Toronto, McClelland & Stewart, 2012.

Documents électroniques

Brusq, Armelle. *Leonard Cohen. Portrait: Spring 96*. www.youtube.com.

Cohen, Leonard. Entrevue avec Ian Ghomeshi, CBC, avril 2009. www.youtube.com.

———— « I'm blessed with a certain amnesia », entrevue avec Jian Ghomeshi, *The Guardian*, juillet 2009. http://www.theguardian.com/music/2009/jul/10/ghomeshi-interviews-leonard-cohen.

———— « The other side of waiting », entrevue avec Cindy Bisaillon, *Shambala Sun*, janvier 1994. http://www.shambalasun.com/index.php?option=com_content&task=view&id=3369&Itemid=244.

Thomas, Anjani. *An Interview with Anjani*. http://www.webheights.net/dearheather/anjani.html.

Walsh, John. « Melancholy baby », *The Independent Maga-zine*, 8 mai 1993, p. 38-40. http://1heckofaguy.com/melancholy-baby-by-john-walsh-1993/.

Page Facebook : http://www.facebook.com/groups/leonard.cohen.site.

Sites Internet : www.leonardcohenfiles.com ; www.leonardcohensite.com.

Table des matières

ESSAI
extrait du catalogue des Éditions Triptyque

Allard, Francine et Claude Jasmin. *Interdit d'ennuyer*, 2004

Bizzoni, Lise et Cécile Prévost-Thomas (dir.). *La chanson francophone contemporaine engagée*, 2008

Boky, Colette et Mireille Barrière. *Colette Boky. Le chant d'une femme*, 2008

Breton, Gaétan. *Les orphelins de Bouchard*, 2000

Breton, G. *Tu me pompes l'eau! Halte à la privatisation*, 2002

Caccia, Fulvio (dir.), Bruno Ramirez et Lamberto Tassinari. *La transculture et ViceVersa*, 2010

Campeau, Sylvain. *Imago Lexis. Sur Rober Racine*, 2012

Cloutier, Martin et François Nault (dir.). *Georges Bataille interdisciplinaire*, 2009

Clozel, Claire-Marie. *Pourquoi les petits garçons ne sont pas des petites filles...*, 2007

Des Rosiers, Joël. *Théories caraïbes. Poétique du déracinement*, 2009

Des Rosiers, J. *Métaspora. Les patries intimes*, 2013

Dyens, Ollivier. *Enfanter l'inhumain*, 2012

Forest, Jean. *Psychanalyse littérature enseignement*, 2001

Forest, J. *Dis-moi papa... c'est quoi un père?* 2001

Forest, J. *L'incroyable aventure de la langue française*, 2003

Forest, J. *La terreur à l'occidentale (tome 1): Oradour-sur-Glane ou la terrifiante ère chrétienne*, 2005

Forest, J. *La terreur à l'occidentale (tome 2): Dresde ou le XXᵉ siècle et la diabolisation de l'Allemagne*, 2005

Francœur, Louis. *Le théâtre brèche*, 2002

Gagnon, Jeanne et Pierre Jasmin. *Notes d'espoir d'un «joueur de piano»*, 2006

Gaulin, Philippe. *Le culte technomédical*, 2003

Gaulin, P. *Traiter, cent ans après la psychanalyse de Freud, dans une société technomédicale*, 2006

Gaulin, P. *Freud et l'affaire de l'Inconscient*, 2010

Germain, Michel. *Penser la nature humaine*, 2000

Germain, M. *Le sacre de la matière*, 2002

Hamel-Beaudoin, Françoise. *La vie d'Éva Senécal*, 2004

Hamel-Beaudoin, F. *Reginald Aubrey Fessenden: le père de la téléphonie sans fil*, 2005

Janoff, Douglas Victor. *Pink blood. La violence homophobe au Canada*. Traduit de l'anglais sous la direction de Diane Archambault, 2007

Joubert, Lucie et Annette Hayward (dir.). *La vieille fille. Lectures d'un personnage*, 2000

Joubert, L. *L'humour du sexe. Le rire des filles*, 2002

Joubert, L. *L'envers du landau. Regard extérieur sur la maternité et ses débordements*, 2010

Joubert, L. et Robert Aird (dir.). *Les Cyniques. Le rire de la Révolution tranquille* (anthologie et études), 2013

Julien, Jacques. *Richard Desjardins, l'activiste enchanteur*, 2007

Julien, J. *Archiver l'anarchie. Le capital de 1969*, 2010

Julien, J. *Leonard Cohen. Seul l'amour*, 2014

King, James. *La vie de Margaret Laurence*. Traduit de l'anglais par Lynn Diamond, 2007

La Chance, Michaël. *L'Inquisitoriale*, 2007

La Chance, M. *Corrida pour soi seul*, 2008

La Chance, M. *[mytism]. Terre ne se meurt pas*, 2009

La Chance, M. *Le cerveau en feu de M. Descartes*, 2013

La Rochelle, Réal. *Opérascope. Le film-opéra en Amérique*, 2003

Le Bel, Pierre-Mathieu. *Montréal et la métropolisation*, 2012

Leduc, Mario. *Plume Latraverse, masqué / démasqué*, 2003

Lemelin, Jean-Marc. *La vie après le capital. Manifeste sans parti*, 2009

Marsan, Jean-Sébastien. *Le Petit Wazoo. Initiation rapide, efficace et sans douleur à l'œuvre de Frank Zappa*, 2010

Marsolais, Gilles. *Le film sur l'art, l'art et le cinéma : fragments, passages*, 2005

Marsolais, G. *Cinéma québécois. De l'artisanat à l'industrie*, 2011

Mativat, Daniel et Louis Vachon. *Dictionnaire de pensées politiquement tordues*, 2005

Mativat, D. *L'humour ado. 1000 détournements de proverbes et pensées célèbres*, 2001

Miville-Deschênes, Monique. *Chansons de cours-nu-pieds et Propos à la volette*, 2001

Ouellette, Antoine. *Le chant des oyseaulx. Comment la musique des oiseaux devient musique humaine*, 2008

Ouellette, A. *Musique autiste. Vivre et composer avec le syndrome d'Asperger*, 2011

Pépin, Clermont. *Piccoletta. Souvenirs*, 2006

Rivière, Sylvain (dir.). *Chapeau dur et cœur de pomme. Lawrence Lepage*, 2000

Robert, Danièle. *Les chants de l'aube de Lady Day*. Préface de Stanley Péan, 2002

Royer, Jean (dir.). *L'écrivain(e) dans la Cité ? Actes du colloque 1999 de l'Académie des lettres du Québec*, 2000

de Surmont, Jean-Nicolas. *La Bonne Chanson*, 2001

Théry, Chantal. *De plume et d'audace. Femmes de la Nouvelle-France*. En coédition avec les éditions du Cerf, 2006

Théry, C. *Jean Lapointe. Artisane de la Révolution tranquille*, 2013

Tremblay, Marie-Claude. *Loco Locass. La parole en gage*, 2011

Vachon, Marc. *L'arpenteur de la ville. L'utopie situationniste et Patrick Straram*, 2003

Vaillancourt, Claude. *Le paradoxe de l'écrivain. Le savoir et l'écriture*, 2003

Vaillancourt, C. *Différence et contrôle social. Le syndrome de Procuste*, 2013

Vaïs, Michel. *Nu, simplement. Nudité, nudisme et naturisme*, 2012

Valcke, Louis. *Vous avez dit « la Belgique » ?* 2011

Varesi, Anthony. *Bob Dylan au fil des albums.* Traduit de l'anglais par François Tétreau, 2006

Varin, Claire. *Clarice Lispector. Rencontres brésiliennes*, 2007

Wolf, Marc-Alain. *Quand Dieu parlait aux hommes. Lecture psychologique de la Bible*, 2004

Wolf, M.-A. *Dialogue avec le sujet psychotique*, 2005